Palavras que transformam

Palabras que transforman

Palavras que transformam

Lições da Bíblia para uma vida de amor e liberdade

CACAU MARQUES

Copyright © 2023 por Carlos Augusto Peres Marques

Os textos bíblicos foram extraídos da *Nova Versão Transformadora* (NVT), da Tyndale House Foundation, salvo indicação específica.

Todos os direitos reservados e protegidos pela Lei 9.610, de 19/02/1998.

É expressamente proibida a reprodução total ou parcial deste livro, por quaisquer meios (eletrônicos, mecânicos, fotográficos, gravação e outros), sem prévia autorização, por escrito, da editora.

Edição
Daniel Faria

Revisão
Natália Custódio

Produção e diagramação
Felipe Marques

Colaboração
Ana Luiza Ferreira

Ilustração de capa
Guilherme Match

Capa
Marina Timm

CIP-Brasil. Catalogação na publicação
Sindicato Nacional dos Editores de Livros, RJ

M316p

    Marques, Cacau
      Palavras que transformam : lições da Bíblia para uma vida de amor e liberdade / Cacau Marques. - 1. ed. - São Paulo : Mundo Cristão, 2023.
      224 p.

    ISBN 978-65-5988-199-4

    1. Bíblia. A.T. Gênesis - Crítica, interpretação, etc. I. Título.

23-82616
                      CDD: 222.11
                      CDU: 27-242.5

Gabriela Faray Ferreira Lopes - Bibliotecária - CRB-7/6643

Publicado no Brasil com todos os direitos reservados por:

Editora Mundo Cristão
Rua Antônio Carlos Tacconi, 69
São Paulo, SP, Brasil
CEP 04810-020
Telefone: (11) 2127-4147
www.mundocristao.com.br

Categoria: Inspiração
1ª edição: junho de 2023

Para Nati,
com quem partilho uma vida cheia de amor e liberdade.

Sumário

Agradecimentos	9
Introdução	11
1. No princípio	17
2. Os ídolos do coração	29
3. A santidade de Deus	38
4. Ouça!	46
5. Aliados de Deus	54
6. Dádivas de Deus	63
7. Formados pela Palavra	71
8. O sofrimento inexplicável	79
9. Coração feliz e humilde	88
10. O Senhor é meu pastor	97
11. Sábio é aquele...	105
12. A redenção do desejo	113
13. O trono e o templo	120
14. Orando em segredo	127
15. Setenta vezes sete	135
16. O verdadeiro serviço	143
17. O evangelho e seus frutos	150
18. O Deus presente	159
19. O único Senhor	166

20. Não me envergonho das boas-novas — 174
21. Liberdade para amar — 182
22. Uma igreja exemplar — 191
23. Graça educadora — 198
24. Um eixo que une — 206
25. Revelação — 215

Sobre o autor — 223

Agradecimentos

Este livro surgiu em etapas. Em primeiro lugar, recebi o convite da Mundo Cristão, por meio de minha amiga Jaqueline Lima, a quem sou imensamente grato, para gravar uma série de *podcasts* com base nos textos da *Bíblia 365*. Foi um ano inteiro de trabalho, contando com a competente edição de Daniel Sas e com toda a dedicação da equipe da MC. Agradeço muito a todos pela confiança, liberdade e oportunidade.

A proposta de transformar esses episódios em livro veio no ano seguinte, em 2022. Agradeço muito ao Daniel Faria por todo o trabalho na transcrição e edição do material dos *podcasts* para texto, sempre respeitoso com minhas sugestões e sábio em sugerir alterações. Foi ele que deu a ideia de que eu escrevesse um capítulo adicional contemplando um dos livros proféticos do Antigo Testamento.

Essas etapas se deram entre os anos de 2020 (quando recebi o convite para o *podcast*) e 2023 (ano da publicação do livro). Mas devo reconhecer que o conteúdo aqui publicado vem de muito antes. Em especial, agradeço à Igreja Batista Vida Nova, em Nova Odessa, interior de São Paulo, onde pude articular pela primeira vez a maior parte das reflexões presentes nestas páginas. Pastorear essa comunidade por quase dez anos tem sido um presente de Deus do qual não sou digno.

À minha esposa, Nati, ao meu pai, Carlos Water, e às minhas irmãs, Marina e Aninha, agradeço por todo o amor transformador.

Agradeço a Deus por sua graça manifestada em cada momento da minha vida.

Introdução

Imagine a cena: um amigo presenteia o outro com um livro de receitas. Quando voltam a se encontrar, o doador pergunta se o presente agradou. O presenteado responde: "Bem, não me leve a mal, mas não gostei do livro que você me deu. O roteiro é confuso. Os capítulos não parecem guardar relação entre si. Eu já li algumas dezenas de páginas e ainda não consegui identificar o protagonista da história".

Fica claro que há uma confusão por parte do leitor presenteado. Ele não se aproximou do livro com as expectativas corretas. Tratou um livro de receitas, cujo propósito é obviamente prático, como se fosse um romance. Ainda que leia o livro inteiro e decore cada uma das palavras em suas páginas, nunca conseguirá compreender sua mensagem ou aplicar seu conteúdo de acordo com seu propósito.

Eu gosto dessa analogia e a considero útil para pensar como nós abordamos as Escrituras. Muitos de nós cristãos nos aproximamos desse texto carregando expectativas incorretas. Alguns tomam a Bíblia como uma coletânea de preceitos morais. Outros veem nela um compêndio confiável da história humana, um manual cientificamente acurado sobre o passado. Outros ainda a veem como a reunião de documentos religiosos que contêm mitos, prescrições litúrgicas e os mandamentos de uma divindade antiga.

Ainda que haja verdades nessas abordagens da Bíblia (há moral, história e religião nela), os cristãos a leem, historicamente, como algo mais. Nas palavras de Karl Barth, na Bíblia encontramos um "estranho mundo novo". Em suas páginas, há um poder de transformação integral do ser humano.

O princípio fundamental para encarar as Escrituras em seu pleno potencial transformador é enxergar aquele que está por trás delas. Na tradição cristã, os textos que compõem a Bíblia, ainda que tão diversos em estilo e natureza, são todos unidos por sua origem comum: são todos Palavra de Deus. Significa que a origem desses textos não pode ser encontrada meramente em seu contexto histórico e em sua autoria humana, mas que há uma fonte anterior que é Deus mesmo. Isso faz tanta diferença quanto saber quem é o autor de uma correspondência que recebemos. Se eu recebesse um cartão de natal na minha casa, mas o remetente se esquecesse de se identificar, eu não saberia a quem agradecer, a quem enviar um cartão em retribuição, e seria incapaz até mesmo de sentir-me amado por alguém específico. O cartão recebido não teria efeito positivo sobre minha relação com ninguém, pois desconheço o autor do agrado. Ler as Escrituras ignorando seu autor é como receber um cartão de natal e não saber a quem agradecer. Em contrapartida, quando tomamos a Bíblia como um presente de um Deus amoroso, encontramo-nos imersos numa relação de amor.

Nesse sentido, a Bíblia é um livro completamente diferente de todos os outros. Nela, pela fé, estamos nos encontrando com Deus. Eu sei que esse linguajar causa certa oposição de alguns irmãos. A resistência é compreensível: eles temem

INTRODUÇÃO

que a ideia de um encontro místico com Cristo nas Escrituras diminua os aspectos racionais da interpretação bíblica. Mas quero explicar por que o encontro com Cristo na Bíblia não é uma forma de minimizar a objetividade da interpretação. Pelo contrário, é uma maneira de ampliar ainda mais a compreensão de sua mensagem.

Recorro, mais uma vez, a uma analogia postal: pense num soldado no *front* de batalha que recebe correspondências da noiva, que permaneceu na terra natal. O envolvimento do soldado com aquele texto é profundamente sentimental e relacional. Por meio daquelas correspondências, os nubentes estão se relacionando verdadeiramente. Isso não diminuiria em nada o zelo do soldado pelo sentido da carta. Ele se dedicaria incansavelmente a lê-la da melhor maneira possível, observando até mesmo a caligrafia de sua amada. A leitura repetida e meticulosa da carta não se opõe ao caráter relacional do texto. Pelo contrário, uma coisa reforça a outra. Da mesma forma, nosso envolvimento apaixonado com Deus nos leva a uma leitura dedicada e atenta das Escrituras, buscando compreender suas palavras do melhor jeito que podemos.

Temo que grande parte dos crentes hoje desconsidera o relacionamento com Deus ao lerem a Bíblia. Fazem isso tomando-a como uma cartilha do bom viver, ou como a fonte de um saber teológico despersonalizado. Isso pode indicar demasiada confiança em nossas próprias capacidades. Ver a Bíblia como um mero guia de comportamento pode ser um sinal de que nos consideramos capazes de cumprir o que ela supostamente pede. Desse tipo de interação com o texto surgem indivíduos e comunidades centrados no julgamento e no preconceito. Em outro aspecto, ver as Escrituras como a fonte de um saber distintivo pode nos levar a altivez intelectual e um sentimento de autossuficiência.

Jesus nos alerta sobre os perigos de nos aproximarmos da Bíblia com as expectativas erradas. Em um diálogo com líderes religiosos em Jerusalém, ele disse: "Vocês estudam minuciosamente as Escrituras porque creem que elas lhes dão vida eterna. Mas as Escrituras apontam para mim! E, no entanto, vocês se recusam a vir a mim para receber essa vida" (Jo 5.39-40). Esse texto nos mostra uma verdade frequentemente ignorada: há maneiras de estudar a Bíblia que não nos aproximam de Jesus. Os líderes religiosos eram muito dedicados no exame das Escrituras hebraicas, mas faziam isso enquanto se opunham àquele para quem o texto apontava. Apegavam-se ao texto com zelo, mas negavam a relação com o Messias que os chamava: "Venham a mim".

O fim da Bíblia é um encontro com Deus. Devemos lê-la com essa convicção relacional. São as palavras daquele que nos ama com amor perfeito, amor revelado de maneira indubitável na cruz.

Uma das minhas histórias preferidas sobre teologia cristã é a que se conta a respeito da passagem de Karl Barth pelos Estados Unidos. Em uma de suas palestras naquele país, um estudante teria perguntado ao famoso teólogo: "Você poderia resumir sua teologia inteira em uma frase?". Barth foi um dos autores mais prolíficos do século 20, e seria difícil para qualquer um, inclusive para ele mesmo, resumir obra tão vasta em uma única sentença. Mas o teólogo suíço teria respondido de bate-pronto com os versos de uma canção infantil: "Jesus me ama, isso eu sei, pois a Bíblia assim me diz". Mais do que resumir a teologia de Barth, essa frase afirma algo profundamente bíblico: a Bíblia revela o amor

INTRODUÇÃO

de Deus em Jesus Cristo. O Deus que é amor demonstra-se a nós nesse livro.

A pergunta transformadora que guia nossa leitura bíblica não é "o que devo fazer para herdar a vida eterna?", e nem mesmo "é permitido (complete com um verbo aqui)?". A pergunta é: "quem é Deus e quem sou eu nessa relação de amor?". Nas páginas das Escrituras deparamos com a realidade de um Deus amoroso e a de uma humanidade pecadora. Encontramos a história da criação perfeita, quando habitávamos um paraíso em plena comunhão com o Criador. Encontramos a tragédia da desavença do pecado. Conhecemos o chamado de Deus de um povo para abençoar o mundo com a reconciliação. Aprendemos sobre a vida daquele que venceu a ruptura e estabeleceu a paz entre a humanidade e o Senhor. Vemos a formação de uma família multiétnica adotada pelo Pai celestial e preenchida por seu Espírito. Orientamos nossa esperança para um futuro de alegria plena, quando habitaremos, mais uma vez, o paraíso divino.

É na história dessa relação que encontro um jeito transformado de viver. A transformação da vida não reside numa lista de tarefas a cumprir, mas numa nova identidade assumida a partir de uma nova história sobre nós mesmos. Diante da Bíblia eu aprendo que o Pai amoroso me amou com amor incondicional e que minhas atitudes já não precisam ser moldadas pelas imperfeitas relações deste mundo. Pelo contrário, é na relação com Deus que as relações deste mundo são aprimoradas. Aprendo que, ainda que eu tenha crescido aprendendo a odiar as pessoas de um outro país contra o qual o meu guerreou no passado, Deus me adotou como membro de uma família cujos irmãos são de todas as tribos, povos, línguas e nações, e que essa família derruba muros de divisão em todo o planeta. Aprendo que não há nada neste mundo, seja dinheiro, poder, prazer sexual, filosofias, religiões, substâncias viciantes, divertimentos ou autossacrifícios, que possa me libertar da crise existencial típica da humanidade moderna, mas só em Deus eu encontro o sentido real da existência. Por isso, "não deixarei que nada me domine" (1Co 6.12).

Este livro que você tem em mãos é composto por reflexões bíblicas que são unidas por essa forma de enxergar as Escrituras. A cada capítulo, passamos por um trecho da Bíblia com a intenção de compreendê-lo e aplicá-lo ao nosso relacionamento com Deus. Essas reflexões nasceram de meditações feitas no decorrer do ano de 2021 para uma série de *podcasts* com base na leitura da *Bíblia 365*, uma edição especial das Escrituras publicada pela Mundo Cristão cujo intuito é facilitar a leitura do texto bíblico ao longo de um ano. E, ainda que toda a Escritura seja inspirada e proveitosa para que sejamos transformados, aqui, humildemente, nos dedicamos a porções selecionadas dela para desenvolver nossa espiritualidade diante de Deus. Meu desejo é que esta seja tão somente uma parte de um relacionamento longo e gradual de cada leitor com a Palavra e que esse relacionamento se estenda por muitos e muitos anos, até aquele dia em que conheceremos nosso Senhor face a face.

1

No princípio

Gênesis é o livro dos princípios, o livro das origens. Ele recebe esse nome do termo grego *génesis*, "origem", justamente por isso. Em hebraico, a língua em que o Antigo Testamento foi escrito, o título é *beresit*, que é simplesmente a primeira palavra do livro, vertida para o português como "no princípio". Tanto em grego quanto hebraico, portanto, assim como em português, este é o livro do começo, o livro que dá início à Bíblia.

Assim diz Gênesis 1.1-3:

> No princípio, Deus criou os céus e a terra. A terra era sem forma e vazia, a escuridão cobria as águas profundas, e o Espírito de Deus se movia sobre a superfície das águas.
>
> Então Deus disse: "Haja luz", e houve luz.

Esses primeiros versos das Escrituras atribuem a Deus a existência de todas as coisas. "Céus e terra", aqui, não são apenas dois espaços, duas realidades, uma espiritual e uma material. "Céus e terra" reúnem a plenitude de tudo o que existe, isto é, todo o universo. No princípio, Deus criou todas as coisas.

Não parece haver nisso nada de muito revolucionário para nós, que estamos num contexto majoritariamente monoteísta, que acredita na existência de um único deus, e mesmo os que não acreditam na existência de deus nenhum vieram em geral de uma cultura monoteísta. No entanto, isso é de fundamental importância para que diferenciemos a fé bíblica das outras histórias de criação do mundo, as cosmogonias do mundo antigo.

Nas religiões politeístas, era comum imaginar que o universo foi formado por ações de diferentes deuses. Cada elemento recebia sua própria narrativa de origem: um deus criou isto, outro deus criou aquilo, e assim por diante. A própria criação do universo, da existência na qual se dá a vida humana, era também atribuída a conflitos entre deuses. No mito babilônico, por exemplo, a humanidade surgiu do sangue misturado com a terra decorrente de uma batalha entre dois deuses.

A Bíblia, por sua vez, desde o início nos diz que a realidade não foi criada nem por acaso, nem por eventos separados, nem por projetos pessoais de divindades diferentes. Toda a existência surgiu por intenção e vontade do único Deus verdadeiro. Deus quis criar todas as coisas, e ele criou todas as coisas. Ninguém o obrigou a tomar essa decisão. Ele mesmo decidiu que criaria os céus e a terra, e assim o fez.

Mas não é só isso. Nesses três primeiros versos da Bíblia, vemos também que Deus dá início a sua criação *falando*; ele começa com a palavra. Ele diz: "Haja luz", e assim a luz passa a existir. Deus cria as coisas a partir de sua palavra. A palavra é a articulação daquilo que pensamos, a expressão daquilo que antes raciocinamos. Todo o universo é fruto da vontade, do pensamento, do projeto de Deus. Ou, para usar um termo ainda mais significativo dentro do contexto do Antigo Testamento, toda a existência se dá a partir da sabedoria de Deus, a sabedoria que Deus articula em sua palavra, e nessa palavra todas as coisas passam a existir.

NO PRINCÍPIO

Essa intenção de projetista de Deus se faz evidente logo no primeiro capítulo de Gênesis. É verdade que o texto não expressa a criação em linguagem científica moderna, detalhando como as moléculas foram compostas ou como os fótons apareceram tão logo Deus falou que houvesse luz. Mas de fato encontramos aqui um discurso ordenado, e isso fica claro quando observamos o que acontece em cada um dos três primeiros dias de criação.

Em primeiro lugar, a criação da luz e das trevas, ou o surgimento da luz e sua separação das trevas:

E Deus viu que a luz era boa, e separou a luz da escuridão. Deus chamou a luz de "dia" e a escuridão de "noite".

Gênesis 1.4-5

Trata-se da formação do dia e da noite. Deus começa a estabelecer um cenário. Vem, então, o segundo dia:

Então Deus disse: "Haja um espaço entre as águas, para separar as águas dos céus das águas da terra". E assim aconteceu. Deus criou um espaço para separar as águas da terra das águas dos céus. Deus chamou o espaço de "céu". A noite passou e veio a manhã, encerrando o segundo dia.

Gênesis 1.6-8

Nesse segundo dia, Deus cria o céu (ou o "firmamento", como nas versões mais antigas) e os mares. Na sequência, no terceiro dia, um terceiro cenário se estabelece.

Então Deus disse: "Juntem-se as águas que estão debaixo do céu num só lugar, para que apareça uma parte seca". E assim aconteceu.

Gênesis 1.9

Primeiro Deus separa dia e noite, depois separa céu e mares, e agora separa terra e mares. Esse é o novo cenário, o da parte seca. Portanto, os cenários que Deus estabeleceu nesses três dias são: o dia e a noite, o céu e os mares, e a terra, a parte seca.

Nos três dias subsequentes, Deus povoará esses cenários, enchendo-os de "personagens". No quarto dia, então, ele povoa o dia e a noite com os luminares: o sol, a lua e as estrelas.

> Então Deus disse: "Haja luzes no céu para separar o dia da noite e marcar as estações, os dias e os anos. Que essas luzes brilhem no céu para iluminar a terra". E assim aconteceu. Deus criou duas grandes luzes: a maior para governar o dia e a menor para governar a noite, e criou também as estrelas. Deus colocou essas luzes no céu para iluminar a terra, para governar o dia e a noite e para separar a luz da escuridão. E Deus viu que isso era bom.
>
> Gênesis 1.14-18

O cenário do primeiro dia é povoado no quarto dia. De igual modo, o cenário do segundo dia, o céu e as águas, será povoado no quinto dia:

> Então Deus disse: "Encham-se as águas de seres vivos, e voem as aves no céu acima da terra". Assim, Deus criou os grandes animais marinhos e todos os seres vivos que se movem em grande número pelas águas, bem como uma grande variedade de aves, cada um conforme a sua espécie.
>
> Gênesis 1.20-21

Finalmente, no sexto dia, Deus povoará a terra. Agora, atenção: quando criou a terra no terceiro dia, quando separou a terra das águas, Deus criou também as plantas (Gn 1.11).

NO PRINCÍPIO

As plantas já são parte do cenário, distintas daquilo que a povoará no sexto dia. No sexto dia, vêm os animais nesse cenário da terra:

> Então Deus disse: "Produza a terra grande variedade de animais, cada um conforme a sua espécie: animais domésticos, animais que rastejam pelo chão e animais selvagens". E assim aconteceu. Deus criou grande variedade de animais selvagens, animais domésticos e animais que rastejam pelo chão, cada um conforme a sua espécie. E Deus viu que isso era bom.
>
> Gênesis 1.24-25

Aí estão, portanto, os seis dias e o povoamento de toda a criação. Deus povoa o céu com os luminares e as estrelas, as águas com os animais marinhos, o céu com as aves, a terra com os animais terrestres. Toda essa descrição visa conferir à criação a ideia de ordem, de que Deus está organizando as coisas, porque Deus é como um projetista, um idealizador. Toda a criação é fruto de uma ideia, de um plano, de um projeto de Deus. Não é acaso, não decorre de uma confusão, de um conflito; não vem de deuses diferentes com projetos pessoais diferentes. Vem como uma obra de arte, algo pensado, engenhado por Deus mesmo. E, como obra de arte, esse poema que Deus está construindo com sua voz carrega aspectos da própria identidade do artista.

Deus põe ordem no mundo porque Deus é um Deus de ordem. Deus põe sua sabedoria no mundo porque Deus é um Deus sábio. Esse entendimento é característico na cultura da sabedoria hebraica. A ideia que o Antigo Testamento traz de sabedoria, presente sobretudo no livro de Provérbios, é de que Deus é sábio e nos comunica sua sabedoria porque é ela que faz tudo acontecer. É por sua sabedoria que o mundo continua em pé. É por sua palavra, fruto de sua sabedoria, que todas as coisas seguem existindo em seu devido ciclo, dia e noite, noite e dia.

A sabedoria de Deus, portanto, sustenta toda a existência e nos é comunicada pela palavra de Deus, como sabedoria para que vivamos nossa vida. Consequentemente, não ouvir a sabedoria de Deus é rebelar-se contra aquilo que sustenta o universo. É estar em descompasso com a criação, é estar desalinhado da vocação de todo o universo, é andar separado do plano de Deus. Em outras palavras, é agir contra a arte que Deus produziu. Pecado não é simplesmente cometer um erro. Pecado é rasgar a tela na qual Deus pintou sua grande obra de arte. É o que fazemos quando nos rebelamos contra a sabedoria de Deus.

No sexto dia, além dos animais, Deus também cria a humanidade. Em Gênesis há duas narrativas da criação dos seres humanos, uma no capítulo 1 e uma no capítulo 2. A primeira é uma narrativa geral, ao passo que a segunda detalha a ordem e o modo como Deus procedeu, não mais falando para que os seres humanos surjam, mas usando as próprias mãos, modelando o homem a partir do barro e a mulher a partir da costela do homem.

E é no capítulo 1 que Deus expressa algo de suma importância sobre o primeiro casal que é também sobre toda a humanidade:

> Então Deus disse: "Façamos o ser humano à nossa imagem; ele será semelhante a nós. Dominará sobre os peixes do mar, sobre as aves do céu, sobre os animais domésticos, sobre todos os animais selvagens da terra e sobre os animais que rastejam pelo chão".

NO PRINCÍPIO

Assim, Deus criou os seres humanos à sua própria imagem,
à imagem de Deus os criou;
homem e mulher os criou.

Gênesis 1.26-27

Afinal, o que significa ser criado à imagem de Deus? São
várias as interpretações. Alguns pensam tratar-se de capacidades que Deus possui e que ele nos transmitiu, como a
racionalidade e a consciência moral. Mais do que isso, ser
criado à imagem de Deus significa que na humanidade Deus
colocou algo de sua própria ação no mundo, imbuindo homem e mulher da responsabilidade de representar sua autoridade e seu domínio.

Na antiguidade, quando um rei ou um imperador do-
minava um território vasto, em que viagens eram longas e
custosas, a fim de estabelecer sua autoridade em todas as
regiões sob seu domínio ele fazia uso de uma imagem que
o representasse. Poderiam ser estátuas espalhadas pelo império, por exemplo, ou uma moeda estampada com sua imagem e seu nome, de modo a anunciar sua autoridade sobre
aquela região.

É isso também o que Deus faz com a humanidade neste
mundo. Os seres humanos são um sinal de sua autoridade,
representantes de seu domínio sobre a criação. Com isso,
são convidados a participar da obra criadora de Deus. Não
são meras pinceladas nesse quadro. Eles fazem parte também
desse processo criativo.

Mais adiante, quando Deus cria uma região chamada
Éden e nela planta um jardim, ele diz ao homem que cuide
daquele jardim e o cultive. A ideia é que Adão e Eva estabe-
leçam o domínio de Deus sobre toda a criação, agindo como

Deus também. Afinal, é de se perguntar: por que Deus inseriu um jardim no meio da natureza que ele criou? Um jardim não surge do nada; é uma mistura de natureza com engenho humano. Os seres humanos, como representantes da autoridade e do domínio de Deus, são encarregados de expandir aquilo que Deus começou:

> Então Deus os abençoou e disse: "Sejam férteis e multipliquem-se. Encham e governem a terra. Dominem sobre os peixes do mar, sobre as aves do céu e sobre todos os animais que rastejam pelo chão".
>
> Gênesis 1.28

Deus é o artista, é quem assina a obra; os seres humanos são seus auxiliares, inseridos na criação para com ele, em aliança com ele, estabelecer ou expandir sua obra criadora. E, como homem e mulher à imagem de Deus, eles encheriam a terra com a imagem de Deus.

Sim, toda a criação carrega características do ser de Deus: a ordem, a racionalidade, a beleza. Homem e mulher, porém, encheriam a terra não só com características do ser de Deus, mas com a própria imagem de Deus. A sabedoria de Deus se manifestaria em todas as coisas: na planta que nasce, no pássaro que voa, no casamento entre homem e mulher, nos filhos que eles terão, nas comunidades mais amplas, na adoração ao Deus maravilhoso. Em tudo a característica do ser de Deus, sua imagem em nós, se manifestaria neste mundo criado por ele e para a glória dele.

No entanto, nessa maravilhosa história da criação, da sabedoria de Deus manifestada no mundo, ocorre um episódio trágico. Trata-se da assim chamada Queda, relatada em

NO PRINCÍPIO

Gênesis 3, quando homem e mulher comem do fruto proibido, o fruto do conhecimento do bem e do mal.

A serpente era o mais astuto de todos os animais selvagens que o SENHOR Deus havia criado. Certa vez, ela perguntou à mulher: "Deus realmente disse que vocês não devem comer do fruto de nenhuma das árvores do jardim?".
"Podemos comer do fruto das árvores do jardim", respondeu a mulher. "É só do fruto da árvore que está no meio do jardim que não podemos comer. Deus disse: 'Não comam e nem sequer toquem no fruto daquela árvore; se o fizerem, morrerão'."
"É claro que vocês não morrerão!", a serpente respondeu à mulher. "Deus sabe que, no momento em que comerem do fruto, seus olhos se abrirão e, como Deus, conhecerão o bem e o mal."

Gênesis 3.1-5

É fundamental entender que a serpente não mentiu. De fato, quando eles comessem do fruto, seriam como Deus. O próprio Deus confirma isso em Gênesis 3.22: "Vejam, agora os seres humanos se tornaram semelhantes a nós, pois conhecem o bem e o mal. Se eles tomarem do fruto da árvore da vida e dele comerem, viverão para sempre". Ou seja, Deus disse que aconteceu exatamente o que a serpente disse que aconteceria.

Acaso Deus estaria agindo motivado por inveja, ao não permitir que a humanidade fosse como ele? De modo nenhum: a verdade é que os homens não foram criados para serem deuses, as mulheres não foram criadas para serem deusas. Nós fomos criados com a imagem de Deus para agirmos debaixo da missão que Deus nos deu, para construirmos junto com Deus essa obra de arte sob sua orientação, para que sua sabedoria se manifeste em nós, em nossas relações uns com os outros e em nossa relação com a criação. É para isso que fomos criados, e não para nos sentarmos no trono de Deus.

Uma pequena analogia para tornar isso mais claro. Imaginemos uma criança sentada no banco do motorista, brincando com o carro parado, mexendo no volante, botando a mão no câmbio, e assim por diante. Chega então uma pessoa mal-intencionada e diz a ela: "Vire a chave e saia dirigindo", ao que a criança responde: "Não, não vou fazer isso. Meu pai disse que se eu ligar este carro e sair dirigindo, eu vou morrer". Então a pessoa mal-intencionada replica: "Na verdade, o que seu pai disse é que você, quando começar a dirigir, vai acabar se tornando como ele, um motorista! E ele não quer que você se torne um motorista".

A pessoa mal-intencionada está falando a verdade: o pai não quer que aquela criança se torne motorista. Mas por quê? Porque não é para ela ser motorista. Ela é uma criança, sem condições de dirigir um carro. Da mesma maneira, Deus não quer que sejamos deuses, porque não somos, porque não é para isso que fomos criados. E nós, no lugar de Deus, seremos como uma criança dirigindo um carro: um desastre prestes a acontecer. "Se você comer desse fruto, com certeza morrerá", disse Deus (Gn 2.17). E eles de fato morreram naquele dia. Não morreram fisicamente, pois ainda viveram por um tempo, mas morreram espiritualmente, separados da fonte da vida, em rebelião contra a sabedoria que rege toda a existência.

Naquele jardim, contudo, havia outra árvore muito especial. A árvore da vida. A árvore que faria o contrário da árvore do conhecimento do bem e do mal. Se esta mataria quem comesse de seus frutos, aquela daria vida eterna. E Deus expulsa homem e mulher do jardim do Éden, para que eles não comam da árvore da vida e vivam para sempre. Por que eles não deveriam viver para sempre? Ora, imaginemos que terrível seria uma vida para sempre dominada pelo pecado, cada um querendo ser deus e se sentar no trono, dominar o outro, ser deus do outro, submeter o outro à sua vontade. Imaginemos ditadores que não morrem, cada vez acumulando mais poder, mais experiência e mais maldade para dominar sobre toda a terra. Imaginemos quão terrível seria se a humanidade má não tivesse um limite em sua maldade, que é o limite da morte.

Deus impõe o limite. Como diz Provérbios 3.18: "A sabedoria é árvore de vida para quem dela toma posse; felizes os que se apegam a ela com firmeza". Viver para sempre, tomar da árvore da vida não é para os que vivem no pecado em estado de morte. É para os que se apegam firmemente à sabedoria de Deus. Infelizmente, quando buscamos conhecer o bem e o mal e nos sentar no trono de Deus, reinando como deuses, somos marcados pelo pecado e a imagem de Deus em nós se corrompe, afastando-nos dessa sabedoria. É por isso que a sabedoria de Deus teve de ser cumprida em Jesus Cristo, a quem o Novo Testamento chama "a sabedoria de Deus" (1Co 1.24,30). Ele cumpre a sabedoria, ele é o homem que vive em fidelidade, que manifesta toda a sabedoria de Deus e que, mesmo assim, toma do cálice de nossa morte, nós que deveríamos ter a morte, porque a morte é um limitador do mal. Ele, que não tem mal, morre por nós, para que nós tenhamos acesso à árvore da vida. Os méritos da sabedoria divina são nele manifestados, e esses méritos nos fazem ter, finalmente, a vida eterna.

Aqui, nesta realidade, ainda vivemos em rebeldia contra a sabedoria de Deus. Mas, se queremos plenitude de vida, se queremos abraçar a realidade da existência conforme Deus a planejou, precisamos nos voltar para sua sabedoria, e assim beber da vida de Cristo, a sabedoria de Deus, que já nos deu a vida eterna na cruz. Como diz John Stott, a cruz de Cristo é a árvore da vida plantada no Calvário.

2
Os ídolos do coração

O livro de Êxodo, o segundo livro da Bíblia, narra a saída do povo de Deus do Egito, em direção à Terra Prometida. Mas como o povo de Deus foi parar no Egito, para começo de conversa?

O pecado cometido por Adão e Eva no Éden não só desvirtuou toda a humanidade como também trouxe consequências terríveis: tristeza, opressão, maldade. Então, depois de toda a confusão que o pecado causou no mundo, Deus resolve iniciar um novo processo com os seres humanos por meio de um homem nascido na Mesopotâmia chamado Abraão. Deus se dirige a Abraão e lhe diz que saia de sua terra natal e vá para um lugar que ele lhe mostraria, prometendo que faria dele "uma grande nação" (Gn 12.1-2).

O lugar é o que nós hoje chamamos de Palestina, região no Oriente Médio banhada pelo mar Mediterrâneo. Abraão vai até lá e tem um filho, que é o filho da promessa, Isaque. Depois Isaque tem dois filhos, sendo que um deles, Jacó, é o da promessa. E essa sequência de patriarcas, Abraão, Isaque e Jacó, dá origem ao povo hebreu, ou povo de Israel.

Em meio a um período de severa escassez, a família de Jacó ruma para o Egito, onde havia provisão de alimentos.

Ali eles se fixam e começam a crescer, a ponto de ameaçar a autonomia do império egípcio. O faraó então determina que sejam escravizados. E mais: os descendentes de Abraão, Isaque e Jacó crescem de tal forma que o faraó manda matar as crianças que nasceriam das hebreias. Não fosse pela ação das parteiras de proteger essas crianças, ocorreria naquele lugar um genocídio infantil.

Assim, séculos depois de Abraão ter sido chamado por Deus, seus descendentes formam agora um imenso contingente de pessoas, mas vivem em terra estrangeira, não na terra que Deus prometeu. Vivem no Egito, em regime de escravidão. Deus, então, chama um homem para liderar a libertação daquele povo. Esse homem é Moisés. É Moisés quem conduzirá o povo na saída do Egito em direção à Terra Prometida.

Em Êxodo, portanto, encontramos a narrativa dessa saída do povo hebreu do Egito, desde o nascimento de Moisés, seu encontro com Deus no arbusto em chamas, seu retorno como libertador do povo, seu conflito com o faraó e a saída do povo para o deserto, incluindo as várias dificuldades que enfrentam, como a passagem em meio ao mar Vermelho.

Após narrar a saída do Egito, Êxodo descreve um novo encontro de Moisés com Deus, no qual Deus entrega a Moisés no monte Sinai os Dez Mandamentos, a lei de Deus.

O texto dos Dez Mandamentos, Êxodo 20, abre a seção legal da Torá, ou Pentateuco, como são conhecidos os cinco primeiros livros do Antigo Testamento. Agora, o foco recai sobre as leis e os preceitos de Deus, interrompendo a narrativa que será retomada no quarto livro do Pentateuco, Números. A segunda metade de Êxodo, todo o livro de Levítico e uma parcela considerável de Números constituem, portanto, o conteúdo jurídico da Torá. Trata-se de leis religiosas, morais e cívicas, implicando todos os âmbitos da vida do povo escolhido de Deus.

Nos Dez Mandamentos, ou Decálogo, encontramos os princípios mais elementares da caminhada com Deus. E esses princípios são de grande valor para toda a tradição religiosa que deriva da Bíblia. Os Dez Mandamentos pautam a moralidade e a fidelidade do povo de Deus, desde o Antigo Testamento até o tempo presente.

Tão importante quanto os Dez Mandamentos propriamente ditos é o prólogo do Decálogo, quando Deus se apresenta a Moisés para lhe trazer a lei. Em Êxodo 20.2, Deus diz: "Eu sou o SENHOR, seu Deus, que o libertou da terra do Egito, onde você era escravo". Antes de expressar os mandamentos, Deus se apresenta a Moisés como o libertador. Os mandamentos, assim, são termos da liberdade que Deus concede. A liberdade, afinal, nunca é absoluta.

As circunstâncias em que Deus dá a lei a Moisés nos ajudam a esclarecer essa realidade. O povo estava no deserto; sim, eles não eram mais escravos, tinham saído do Egito e, em relação ao Egito, estavam livres. Mas, nesse momento no deserto, Deus é quem conduz o povo, e o povo, caminhando com Deus, recebe do próprio Deus cuidado, orientação, vitória sobre as circunstâncias, salvação diante dos perigos. Aquele que buscasse ser totalmente livre, livre até mesmo de Deus, teria de abrir mão de seu relacionamento com Deus e sair por aí sozinho, em meio ao deserto. É uma imagem de grande liberdade: alguém perambulando pelo deserto sem ser limitado por nenhum caminho, podendo fazer o que bem quiser. Contudo, não existe nada ali que dê valor a essa liberdade, que faça valer a pena ser assim tão livre e tão sem amarras.

Quando Deus liberta o povo, ele o liberta para um relacionamento consigo. O povo se torna apto para desfrutar a liberdade dentro de um relacionamento, e relacionamentos são intrinsecamente limitantes. Todo relacionamento envolve concessão, a redução da própria vontade para valorizar a vontade do outro. Sem essa limitação não há relacionamento, e sem relacionamento só há solidão. Os Dez Mandamentos, portanto, são os termos desse relacionamento com Deus, revelando como o povo pode caminhar junto dele e, nessa caminhada, aproveitar realmente a vida que Deus tem para aqueles que ele ama.

A liberdade do povo está atrelada ao Libertador. Deus sabe disso, e por isso começa os Dez Mandamentos dizendo: "Não tenha outros deuses além de mim" (Êx 2.2). Isto é, ele deve ser o único Deus daquele povo, pois a idolatria, que é assumir uma divindade falsa em lugar do Deus verdadeiro, era uma das formas de aprisionamento daquele povo. Na verdade, a idolatria sempre é uma forma de aprisionamento.

O falecido escritor norte-americano David Foster Wallace, um dos mais aclamados romancistas dos últimos anos, falou sobre isso. Convidado como orador de um discurso de formatura, ele apresentou a seguinte reflexão:

> Pois aqui está uma outra verdade. Nas trincheiras cotidianas de uma vida adulta, não existe isso de ateísmo. Não existe isso de não venerar. Todo mundo venera. Nossa única escolha é *o que* venerar. [...]. Quem venerar o dinheiro e os bens materiais, quem buscar neles o sentido da vida, nunca terá o suficiente. Nunca terá a sensação de que tem o suficiente. É a verdade. Quem venerar o próprio corpo, beleza e encanto sexual sempre vai se achar feio, e quando o tempo e a idade começarem

OS ÍDOLOS DO CORAÇÃO

a deixar marcas morrerá um milhão de mortes antes de finalmente ser enterrado por alguém. De certo modo, todo mundo
já sabe disso — está codificado em mitos, provérbios, clichês,
máximas, epigramas, parábolas; no esqueleto de toda boa história. O grande truque é conseguir manter a verdade na superfí-
cie da consciência em nossas vidas cotidianas. Quem venerar o
poder vai se sentir fraco e amedrontado, e precisar de cada vez
mais poder para conseguir afastar o medo. Quem venerar o in-
telecto, ser visto como inteligente, vai acabar se sentindo burro,
uma fraude na iminência de ser desmascarada. E por aí vai.

Essas formas de venerar são traiçoeiras não por serem ma-
lignas ou pecaminosas, mas por serem *inconsistentes*.[1]

O que o não cristão David Foster Wallace expressa é que
ninguém tem a escolha de não adorar. E isso a Bíblia também
nos ensina: ou adoramos a Deus ou adoraremos alguma outra coisa. Buscaremos algo que nos dê sentido à vida, e esse
algo reinará e dominará sobre nós.

É basicamente isso o que Deus está dizendo no primeiro
mandamento do Decálogo: "Não tenha outros deuses além
de mim, senão vocês serão novamente escravizados por esses deuses. Eu lhes ofereço a liberdade; se não se apegarem
à liberdade que ofereço, serão dominados pelos ídolos que
buscam servir". A verdadeira adoração ao Deus revelado nas
Escrituras é uma adoração libertadora, pois impede que nossa vida se deixe escravizar pelas coisas deste mundo, inclusive
por nossos próprios interesses escravizantes. Nós devemos
nos voltar para o Deus libertador.

[1]David Foster Wallace, "Isto é água", in: *Ficando longe do fato de já estar
meio que longe de tudo* (São Paulo: Companhia das Letras, 2012), p. 273.
Grifos do original.

33

E esse não é o único mandamento sobre idolatria no Decálogo. Assim diz o segundo mandamento:

> Não faça para si espécie alguma de ídolo ou imagem de qualquer coisa no céu, na terra ou no mar. Não se curve diante deles nem os adore, pois eu, o SENHOR, seu Deus, sou um Deus zeloso. Trago as consequências do pecado dos pais sobre os filhos até a terceira e quarta geração dos que me rejeitam, mas demonstro amor por até mil gerações dos que me amam e obedecem a meus mandamentos.
>
> Êxodo 20.4-6

Embora ambos os mandamentos tratem de idolatria, são instruções distintas. Afinal, do que Deus está falando aqui?

Em Êxodo 32, a Bíblia relata o episódio do bezerro de ouro. Naquela ocasião, Moisés já havia trazido os Dez Mandamentos para o povo, mas tinha voltado para o monte a fim de receber outras leis do Senhor. Ele se demora lá, e o povo começa a ficar impaciente. Então, pedem a Arão, irmão de Moisés, que faça alguma coisa. Arão recolhe os objetos de ouro que pertenciam às pessoas e os lança no fogo. Depois, trabalha no ouro e lhe dá a forma de um animal, um bezerro de ouro. Então o povo exclama: "Ó Israel, estes são os seus deuses que o tiraram da terra do Egito!" (Êx 32.4).

O povo usa a mesma expressão que Deus havia usado para falar de si mesmo. Em outras palavras, atribui ao bezerro a libertação que Deus providenciou. E o versículo seguinte desnuda a gravidade da situação. "Percebendo o entusiasmo do povo, Arão construiu um altar diante do bezerro e anunciou: 'Amanhã haverá uma festa para o SENHOR!'" (Êx 32.5). Arão está atrelando o bezerro de ouro a Javé, o Deus de

Israel que chamou Abraão, que chamou Moisés e que libertou o povo do Egito.

Não se trata, portanto, da quebra do primeiro mandamento. Para Arão, o bezerro de ouro era o próprio Javé, não um outro deus. Trata-se da quebra do segundo mandamento. Atrelar a Deus uma imagem que não é a imagem que Deus mesmo revelou de si é pecado de idolatria. A idolatria não é só apegar-se a outros deuses, mas é também adorar a Deus segundo uma imagem diferente, ou atribuir a Deus uma imagem que não é a dele.

E como fazemos isso? Transformando Deus em algo que não é ele mesmo, transformando-o em algum conceito extraído de nossa própria vontade. Uma ideologia política, uma visão econômica, o trabalho, a família ou algum tipo de sonho: tudo o que represente o lugar de Deus em nossa vida representa uma quebra do segundo mandamento. É aprisionar-se novamente a ídolos.

No salmo 115, o salmista diz que as nações ao redor de Israel indagam: "Onde está o deus deles?". A resposta do povo é: "Nosso Deus está nos céus e faz tudo como deseja" (Sl 115.2-3). Como as nações não viam nenhum tipo de estátua no meio do povo de Deus, nenhum tipo de expressão física desse deus, eles perguntavam onde, afinal, se encontrava esse Deus. A respeito dos ídolos dessas nações, então, diz o salmista:

Seus ídolos não passam de objetos de prata e ouro,
	formados por mãos humanas.
Têm boca, mas não falam;
	olhos, mas não veem.
Têm ouvidos, mas não ouvem;
	nariz, mas não respiram.

PALAVRAS QUE TRANSFORMAM

Têm mãos, mas não apalpam;
pés, mas não andam;
garganta, mas não emitem som.
Aqueles que fazem ídolos e neles confiam
são exatamente iguais a eles.

Salmos 115.4-8

A idolatria tem esse poder de nos transformar em estátuas e de limitar nossa vida a uma imagem imóvel, em vez de encher a realidade de nossa existência com o mandamento de Deus de dominar sobre este mundo para sua glória. A idolatria nos põe em situação de isolamento, de imobilidade, de servidão. O que fazer, então?

Os Dez Mandamentos começam nos dizendo que não adotemos outros deuses e outras imagens de Deus. Implicitamente, o Decálogo nos lembra de que a imagem de Deus somos nós. É nos Dez Mandamentos que Deus revela seu caráter santo, e é na lei de Deus que constatamos que não temos esse mesmo caráter em nós. O conflito entre quem Deus é e quem deveríamos ser fica evidente na lei, que nos demonstra a impossibilidade de nos livrarmos do pecado. Quando buscamos ídolos, muitas vezes o fazemos no intuito de lidar com essa dificuldade e tentar um modo de autojustificação, uma vez que é impossível que seres humanos pecadores cumpram totalmente a lei de Deus.

Mas é justamente nesse contexto de conflito entre a santidade de Deus e nosso pecado que se manifesta Jesus Cristo, a imagem do Deus invisível. E na imagem do Deus invisível, Jesus Cristo, somos justificados, ou como diz o apóstolo Paulo em Colossenses 3.10, somos revestidos de uma nova natureza e renovados à medida que aprendemos a conhecer nosso Criador e nos assemelhamos a Jesus Cristo.

Vencer a idolatria não é tornar nossa vida religiosa mais legalista. É, antes, aprender que não conseguiremos cumprir toda a lei, mas que Jesus Cristo a cumpriu e, uma vez que somos justificados nele, buscaremos viver como ele, num relacionamento com o Deus que caminha conosco no deserto da existência. Caminhar com Deus é a solução para nossas tendências idólatras. Olhar para Jesus Cristo, a imagem do Deus invisível, olhar para nós e nossa imagem de Deus corrompida, e clamar que santidade do Senhor nos revista. É assim que venceremos a idolatria.

Hoje você tem a oportunidade de olhar para sua vida e pensar no que confere sentido a sua existência. Você tem caminhado atrás de quê? Tem vivido segundo o quê? Talvez seja o momento de reorientar seus passos segundo a vontade de Deus, não para isolar-se do mundo, mas justamente para que tenha uma relação saudável com toda a obra criada por Deus e com a humanidade que Deus criou à sua imagem.

3

A santidade de Deus

Levítico, o terceiro livro da Bíblia, contém grande parte da seção jurídica do Pentateuco. Nele se encontra a maior sequência de preceitos que determinam as leis e as práticas do povo de Deus. Há, aqui, pouco conteúdo narrativo. Talvez por essa razão, algumas pessoas acabam por desconsiderar a leitura do livro. Afinal, é muito mais fácil e prazeroso ler narrativas do que ler uma sequência aparentemente interminável de códigos legais.

Outra razão que dificulta a leitura de Levítico é o fato de que muitos de seus preceitos não parecem se encaixar em nosso modo de vida hoje. Há regras para alimentação, vestimenta, organização política e social que são bastante incomuns em nossa prática cotidiana. Além do mais, quando lemos no Novo Testamento que alguns desses preceitos já se cumpriram em Jesus Cristo, desobrigando-nos de práticas como a circuncisão na carne, por exemplo, tendemos equivocadamente a pensar que Levítico não nos serve mais, não tendo nada a nos acrescentar ou nos ensinar.

No entanto, quando analisamos os ensinamentos de Jesus nos Evangelhos e dos apóstolos nas Epístolas, percebemos que pelo menos um mandamento de Levítico

A SANTIDADE DE DEUS

continua central para o desenvolvimento da igreja de Cristo. O mandamento do amor ao próximo, aquele que Jesus chamou de "o novo mandamento" em João 13.34 e que depois é mencionado repetidas vezes por Paulo, Pedro e João, baseia-se no texto de Levítico 19.18, que diz: "Não procurem se vingar nem guardem rancor de alguém do seu povo, mas cada um ame o seu próximo como a si mesmo. Eu sou o Senhor".

Esse mandamento sobre o amor dentro do povo de Israel ganha nova dimensão no Novo Testamento, quando Jesus conta a parábola do bom samaritano (Lc 10.25-37). Ali, ele amplia o entendimento daqueles que perguntavam "Quem é meu próximo?" e imaginavam que o mandamento se referia apenas aos que faziam parte do povo de Israel. Jesus está inaugurando uma nova realidade, na qual o povo de Deus está agora entre todos os povos, entre todas as nações, remontando à bênção que Deus tinha dado a Abraão, de que todas as famílias da terra seriam abençoadas por meio de sua descendência (Gn 12.3). Ou seja, se não compreendermos o que Levítico nos fala sobre o amor ao próximo, teremos uma visão muito reduzida de como Jesus conecta esse mandamento à realidade de sua igreja.

Alguém, então, poderia objetar: "Muito bem. Alguns aspectos de Levítico ainda fazem sentido para nosso tempo, e o Novo Testamento nos ajuda a rever tais aspectos de modo que vivamos na prática da vontade de Deus revelada em Jesus Cristo. Mas por que, afinal, tenho de ler sobre animais que não se podia comer, sobre como não se devia tecer fios misturados ou sobre como comemorar uma festa que em nosso tempo os cristãos não comemoram mais? O que o livro de Levítico tem a ver comigo e com minha vida?".

PALAVRAS QUE TRANSFORMAM

Uma resposta passa pelo entendimento do tema central desse livro, que é a santidade de Deus. Deus é um Deus santo, que escolhe tirar da escravidão do Egito um povo que ele mesmo escolheu. Ele de fato os livra da escravidão e os conduz pelo deserto, ensinando-lhes o que é ser o povo de um Deus santo.

E o que significa dizer que Deus é santo?

Santo, em hebraico, significa "separado", "distinto", "único", "diferente". Deus é santo porque está separado de todas as outras coisas. Ele é único em seu papel de Senhor e Criador de tudo o que existe, e não pode ser confundido com nada mais. Como vimos em Gênesis, depois de criar todas as coisas ele descansou no sétimo dia, mostrando que as coisas são as coisas, e ele é ele. Também vimos isso em Êxodo, quando Deus diz que não devemos fazer imagens de esculturas nem adorá-las, pois não há coisa alguma com a qual possamos associá-lo. Ele é quem ele revela ser, e ele é santo.

Essa santidade de Deus não é apenas uma diferenciação, uma independência em relação a tudo o mais. É também uma separação de Deus quanto à maldade e ao pecado. No Éden, quando os seres humanos pecaram, eles se separaram de Deus. O caráter distintivo de Deus, que estabelecia uma correspondência com o ser humano, sua imagem na criação, passou a ter esse outro grau de separação, uma separação moral, uma separação em relação à maldade humana. A humanidade não é apenas distinta de Deus; ela também é separada de Deus na medida em que rompe relações com ele para viver no pecado, na maldade, na idolatria. Assim, o trabalho de Deus em relação a seu povo, o de chamá-lo para perto de si, é um trabalho de santificar esse povo. Para viver na presença de Deus, é necessário que haja santidade.

A SANTIDADE DE DEUS

Outro aspecto da santidade de Deus é o fato de ela reunir todas as características maravilhosas e distintivas de Deus. Tudo o que é bom, perfeito, justo, verdadeiro e amável que se encontra em nosso Senhor é santidade. Mas a santidade também é terrível. É terrível porque ela destrói tudo o que é mau e impuro. Por isso as leis em Levítico evidenciam tanto o caráter do que é puro como do que é impuro, do que é adequado bem como do que é inadequado. Levítico mostra como os seres humanos devem viver em busca de adequação para um relacionamento real com Deus, cuja santidade não pode permitir a presença da maldade. Não podemos participar de um relacionamento com um Deus santo se não formos nós também purificados de todas as impurezas das quais Deus está separado.

A seriedade com que Deus encara a questão da pureza fica nítida em Levítico 10, quando Nadabe e Abiú, os filhos do sacerdote Arão, vão oferecer sacrifício carregando um fogo estranho, não cumprindo aquilo que havia sido ordenado na lei. E, por isso, da presença do Senhor sai uma labareda de fogo que os consome, e eles morrem ali mesmo enquanto realizavam seu trabalho. Essa é a gravidade da santidade de Deus diante de seres humanos pecadores. Se não atentarmos para o fato de que o Deus que nos chama para andar com ele é um Deus santo, estaremos em posição de risco diante de uma santidade que pode nos consumir em nossa maldade.

Aí reside o grande problema: somos humanos, somos pecadores, assim como todo o povo de Israel era pecador. E, no entanto, Deus expressa seu desejo de andar com aquele povo e ser o Deus daquele povo. Mas como um povo pecador pode andar com um Deus santo?

A resposta se encontra em Levítico 20.26, quando Deus diz ao povo: "Sejam santos, pois eu, o Senhor, sou santo. Separei-os de todos os outros povos para serem meus". Aquele deve ser um povo santo, separado, mas assim deve ser porque Deus mesmo é santo. O povo deveria se apartar de todos os contextos e de todas as práticas que não correspondessem à separação de Deus, à santidade de Deus.

Um Deus que é separado de todas as outras coisas, que não pode ser confundido com nenhuma obra criada, escolhe um povo para ser seu e o separa dos outros povos e o forma segundo sua própria santidade, segundo suas próprias características distintivas. Constrói com esse povo um relacionamento que é pautado em sua própria santidade, e não nas características más dos outros povos. A fonte da santidade do povo de Deus é o próprio Deus santo. Eles são chamados a se santificarem, a serem santos porque Deus é santo. São chamados a se identificarem com essa santidade de Deus, a estarem sempre em busca da justiça da santidade de Deus.

No capítulo anterior, mencionamos que os idólatras se tornam semelhantes a seus ídolos, imagens das imagens. Mas nós, na adoração a Deus, adquirimos as características desse Deus vivo. Adoramos ao Deus vivo não fazendo uma estátua dele, mas adquirindo dele sua santidade, os traços de seu caráter, expressando entre nós e em nossas formas comunitárias sua santa justiça. Dessa maneira, Deus é adorado e nós somos refeitos à sua imagem. A imagem de Deus em nós que foi corrompida pelo pecado é, agora, limpa e reestruturada para que ele seja glorificado em nossa vida e por meio dela.

Quando Deus ordena que o povo seja santo por causa de sua própria santidade, ele está se colocando como modelo para o povo, de modo que o povo não busque sua identidade em nenhum outro lugar. Mas ele também está prometendo santificar esse povo, porque ele diz: "Separei-os de todos os outros povos". Foi Deus mesmo que começou essa obra, que tirou o povo da escravidão do Egito e o transformou num povo diferente, um povo que expressaria sua identidade.

Em Levítico 20.7-8, entendemos melhor a dimensão disso. Deus diz: "Portanto, consagrem-se e sejam santos, pois eu sou o SENHOR, seu Deus. Guardem meus decretos pondo-os em prática, pois eu sou o SENHOR, que os santifica". Há aqui uma série de imperativos: consagrem-se, sejam, guardem, pratiquem. No entanto, ele também diz: "eu sou o SENHOR, que os santifica". Essa dupla ação da santificação é algo muito presente nas Escrituras. Deus nos desafia a viver em santidade. Nós buscamos essa vida. Lutamos contra o pecado. Procuramos em nós aquilo que não agrada a Deus. Então nos arrependemos e nos esforçamos para sempre viver segundo a vontade de Deus. Praticamos as disciplinas espirituais, oramos, confessamos nossos pecados, fazemos jejum. E tudo isso para vencer cada tendência pecaminosa de nossa vida. Dedicamo-nos a ser santos.

No entanto, nada do que fazemos de santo, justo e bom pode ser atribuído a nós mesmos. É o Senhor que nos santifica, é o Senhor que nos purifica, é ele que produz em nós os frutos da santidade. Então como podemos imaginar-nos responsáveis pela santificação se entendemos que é Deus quem realiza essa obra em nós?

Precisamos assumir a realidade de que não podemos nos livrar de nossos pecados por nós mesmos. Carecemos do perdão de Deus e de sua ação santificadora. O tempo todo devemos nos colocar diante de Deus como pecadores necessitados de perdão e regeneração, de transformação e santificação. A exemplo do salmista, ansiamos pelo Senhor como a corça anseia pelas águas (Sl 42.1). Temos fome e sede de Deus. Encaramos a realidade da santidade de Deus, e encaramos a realidade de nossa podridão.

Então nos aproximamos de Deus e agimos conforme ele nos orienta. Como pecadores nos colocamos diante dele pedindo-lhe que nos perdoe, e recebemos seu perdão, sabendo que vivemos agora para glorificá-lo. É por isso, aliás, que o centro do livro de Levítico não é a ordem "sejam santos", mas sim o Dia da Expiação, no capítulo 16. Aqui, o Senhor ensina seu povo a comparecer em sua presença com sacrifícios, reconhecendo-se como povo pecador, levando sangue sacrificial ao propiciatório, realizando toda a purificação e suplicando o perdão de Deus.

Desse modo, o povo de Deus encontra em Deus mesmo uma das características de sua santidade que passaria ignorada se o povo não se reconhecesse pecador: a misericórdia. Sim, porque o Deus santo é justo, verdadeiro e sábio, mas é também misericordioso. E, se o próprio ser de Deus é um ser de misericórdia, também o povo, que deve ser santo como Deus é santo, precisa viver na prática da misericórdia. Levítico, como um todo, ensina a cuidar do estrangeiro, do órfão, da viúva, a mostrar misericórdia a quem passa necessidade, a quem sofre perseguição, a quem está a ponto de morrer. Aquele que conhece a misericórdia de Deus e é por ele perdoado necessariamente manifesta uma vida de misericórdia diante do mundo.

Portanto, se o centro do livro de Levítico é o perdão de Deus, a expiação de Deus para que Deus continue sendo o Deus do povo, também o centro de toda a Bíblia é o perdão de Deus em Jesus Cristo, a expiação que Deus nos oferece na cruz, no sacrifício do Cordeiro perfeito. Porque temos um sacrifício perfeito em Jesus, não precisamos mais oferecer sacrifícios no tabernáculo. Não precisamos mais de mediação sacerdotal, porque temos em Jesus o sacerdote e o tabernáculo perfeito, que veio e habitou em nosso meio e agora faz morada em nós, o templo de seu Espírito.

Não significa que viveremos afastados dos preceitos de justiça e santidade de Deus e como bem desejarmos, visto que recebemos dele perdão pleno. Em vez disso, agora que estamos em Cristo, estamos ainda mais perto de Deus. Antes apenas o sacerdote tinha permissão de se colocar na presença de Deus. Agora, porém, todos temos livre acesso a sua santidade.

De fato, quanto mais próximos da santidade de Deus, mais puros e santos seremos. Não precisamos mais temer o fogo que consome. Por isso mesmo, contudo, somos revestidos de uma responsabilidade: a de viver como povo santo de Deus, como povo que vive em sua presença e manifesta seu caráter no meio dos outros povos, demonstrando que fomos separados por ele, porque ele é um Deus separado.

Sob essa ótica, portanto, compreendemos que Levítico é um livro totalmente voltado para Jesus Cristo. É um livro que nos apresenta a realidade do Cordeiro que tira o pecado do mundo, do sacrifício que nos purifica e nos salva. Que você também possa enxergar Levítico com novos olhos, a fim de que compreenda o que verdadeiramente significou o sacrifício de Jesus por nós e assim busque, dia após dia, viver em santidade, porque nosso Deus é santo.

4
Ouça!

O personagem humano que mais se destaca na Torá é Moisés. Ele é o líder do povo na saída do Egito. Ele é quem recebe de Deus a lei no monte Sinai. Ele é quem a aplica na vida do povo. Em Deuteronômio, o quinto livro da Bíblia e aquele que encerra o Pentateuco, vemos o fim da história de Moisés. São seus últimos discursos antes de morrer. Deuteronômio, aliás, se encerra com a morte de Moisés.

Façamos, então, um exercício. Imagine que você liderou o povo de Deus durante todo esse tempo. Você recebeu do Senhor sua palavra. Teve experiências miraculosas, livramentos espetaculares. Pôde falar diretamente com Deus e ouviu dele mesmo seu próprio nome. E, agora, está diante do povo se despedindo. O que você expressaria ao povo num momento como esse?

As últimas palavras desse líder que viu a dificuldade do povo em manter a retidão exigida por Deus compõem o livro de Deuteronômio. Então, como não poderia ser diferente, é justamente essa insistência para que os hebreus caminhem na lei do Senhor o ponto focal de seus discursos de despedida. Moisés foi um grande servo da lei do Senhor. Agora, mesmo na iminência de sua ausência, sua exortação é para que a lei seja aplicada na vida do povo em todo o tempo. Dessa forma, Deuteronômio apresenta um resumo e uma repetição, e em alguns pontos um aprofundamento, de toda a lei que foi apresentada de Êxodo a Números. Aqui encontramos as palavras que Moisés considera essenciais que o povo entenda e pratique, renovando a aliança que Deus havia feito com os israelitas quando os tirou do Egito.

Deuteronômio é um livro tão importante que, não à toa, é um dos mais citados pelos profetas do Antigo Testamento e também por Jesus no Novo Testamento. É nele que encontramos a declaração basilar de fé do povo de Israel, a frase que resume a essência da fé hebraica, a assim chamada *Shemá*, "Ouça!". O texto de Deuteronômio 6.4 diz: "Ouça, ó Israel! O Senhor, nosso Deus, o Senhor é único!". Essa é a declaração fundamental do monoteísmo hebraico, a de que Javé, o Senhor, é o Deus daquele povo, e a exortação para que Israel ouça essa verdade e entenda que esse Deus é o único Deus. Não há outro Deus, não há espaço para politeísmo. O único Deus é Javé, o Deus de Israel.

É com base nessa convicção que se desenvolverá toda a religião hebraica no Antigo Testamento, e também a fé da igreja cristã no Novo Testamento. Há apenas um Deus, o Deus Pai de nosso Senhor Jesus Cristo. Mas a importância desse texto não reside apenas no versículo 4. Logo na sequência, encontramos o mandamento mais importante da lei hebraica, o mandamento que resume todos os outros mandamentos: "Ame o Senhor, seu Deus, de todo o seu coração, de toda a sua alma e de toda a sua força" (Dt 6.5).

Agora, você deve concordar comigo que, para fazer alguém nos amar, a melhor estratégia talvez não seja exatamente transformar esse amor em mandamento. Um noivo não se dirigirá à noiva com quem deseja passar o resto da vida dizendo-lhe que ordena que ela o ame. Tampouco um pai faria isso com seu filho: "Me ame, filho! Você é obrigado a me amar!". É quase como se a obrigação matasse a liberdade do amor. Não parece fazer muito sentido, portanto, Deus mandar que o amemos. Como se pode amar em resposta a uma exigência? Como transformar o amor em lei? Se houvesse uma lei que obrigasse minha esposa a me amar, eu teria muita dificuldade em confiar na legitimidade do amor dela por mim.

Pensemos um pouco mais nisso. Do que, então, nasce o amor? Se o amor não nasce de uma exigência, nasce do quê? A resposta é: o amor nasce do conhecimento do outro, um conhecimento que se dá não com informações transmitidas por mediadores, mas sim em experiências compartilhadas. Eu tenho uma história com as pessoas que amo, e as amo por causa dessa história. Elas não me obrigam a amá-las, e não existe nenhuma lei que me obrigue a fazê-lo.

Da mesma forma, o mandamento para amar a Deus de todo o coração não está separado da experiência e do conhecimento que o povo tem desse Deus. Na verdade, quando Moisés diz: "Ame o SENHOR, seu Deus", o povo já teve muito contato com Deus e muitos testemunhos do que ele faz em seu meio. A evidência disso se encontra em Deuteronômio 4.37, em que Moisés diz a respeito de Deus: "Porque amou seus antepassados, ele escolheu abençoar vocês, os descendentes, e ele mesmo os tirou do Egito com grande poder". Em outras palavras, Moisés está dizendo que a libertação do povo da escravidão do Egito foi obra do amor de Deus. E nesse encontro com o amor de Deus evidenciado em seus atos em nosso favor se dá também o encontro com a exigência de que o amemos em resposta. Conforme aprendemos ao longo das Escrituras, não amamos a Deus porque ele assim exige; nós amamos a Deus porque ele nos amou primeiro.

Um grande erro de nossa espiritualidade é tentar entender a santidade como uma resposta aos mandamentos divinos, ignorando toda a história de amor que temos com Deus. É como se o casamento fosse estabelecido pelas regras e pelos papéis que marido e esposa cumprem. "Eu amo minha esposa porque ela exige que eu passe o aspirador, e ela me ama porque eu exijo que ela lave a louça." Isso não faz sentido algum. Na relação conjugal, os papéis e as funções que estabelecemos derivam de nosso encontro amoroso, de nossas experiências, de nosso convívio, de nossas demonstrações mútuas de amor. Não são leis colocadas sobre nós, independentes de nossa história. Pelo contrário, tudo isso se dá dentro de um contexto prévio, de um lar construído com amor, numa história que é uma história de amor.

A mesma coisa acontece em nosso vínculo com Deus. Os mandamentos que cumprimos não são como uma cartilha que Deus nos atribui, ou uma prova para que sejamos aceitos no processo seletivo da espiritualidade. Antes, são o resultado de um relacionamento de amor no qual nos achávamos em profunda necessidade e no qual Deus nos demonstrou seu imenso amor, escolhendo-nos mesmo em nossa miséria. E nós, em retribuição, agimos com todo o amor na direção dele.

Se é assim, porém, qual a razão de um mandamento dizendo que temos de amar a Deus? Por que as coisas são postas nesses termos? É assim porque precisamos nos lembrar frequentemente desse relacionamento de amor. É assim porque o amor não é algo que brota pura e simplesmente. Amor também é trabalho. Quando a Bíblia ordena que amemos a Deus, é porque a Palavra de Deus sabe que não é fácil, que não é natural, que somos mais propensos a amar a nós mesmos e a abandonar a realidade da história do amor que vivemos. Somos mais propensos, em outras palavras, ao amor-próprio, à egolatria, à idolatria de si mesmo.

Os preceitos da lei, como temos insistido, são os termos de nosso relacionamento com Deus. A lei é o compromisso de quem está numa relação de amor com Deus. Nós amamos a Deus, e amamos a Deus porque ele nos amou primeiro. Aprofundar a realidade do conhecimento desse amor, portanto, é o desafio da espiritualidade bíblica. Não deixar que nossas tendências egoístas assumam o protagonismo, mas antes buscar que o Senhor seja de fato o alvo de nosso amor, bem como a fonte desse amor. É isso que visamos quando nos dedicamos às práticas de espiritualidade, à reflexão bíblica, à oração. Queremos que a realidade de nosso relacionamento com Deus se faça cada vez mais presente em nós.

Esse amor a Deus, portanto, não é amor da boca para fora. Não é apenas um comportamento, mas sim algo enraizado dentro de nosso ser. É isso que significa dizer que o amor a Deus deve ser de todo o coração, de toda a alma e de toda a força.

Hoje em dia, atribuímos ao termo "coração" o papel de centro das emoções, ao passo que "alma" é tido como sinônimo de espírito, e "força" sinaliza aquilo que realizamos no âmbito físico, nossa ação no mundo. Embora na antropologia hebraica, diferentemente da nossa, o coração seja o centro das decisões, a alma se refira a nosso eu interior e força aponte para a energia que nos move, o mais importante aqui é entendermos que, com essas três palavras, Moisés está dizendo que o povo deve se dedicar a amar a Deus com tudo o que é, com cada aspecto de sua existência, de modo que todo o ser se volte para o amor a Deus.

Trata-se de um desafio e tanto, e é por isso que a esse mandamento se seguem, em Deuteronômio 6.6-9, orientações de aprofundamento da realidade do conhecimento do amor de Deus:

> Guarde sempre no coração as palavras que hoje eu lhe dou. Repita-as com frequência a seus filhos. Converse a respeito delas quando estiver em casa e quando estiver caminhando, quando se deitar e quando se levantar. Amarre-as às mãos e prenda-as à testa como lembrança. Escreva-as nos batentes das portas de sua casa e em seus portões.

Quer amar mais a Deus? Quer amar a Deus com tudo o que você é? Então dedique-se a essas palavras. É isso que diz o texto de Deuteronômio: dedique-se a elas, reflita nelas em tudo o que fizer, relacione todas as suas ações com o que essas palavras dizem, em todo e qualquer momento.

Mas que palavras são essas? Toda a história de amor que vivemos com Deus. Lembre-se de quem você era e de quem você é hoje graças ao que Deus fez. Medite em tudo o que Deus tem feito no meio de seu povo. Guarde na mente a verdade de que esse bom Deus é o Deus que lhe dá essas palavras. Essas palavras, portanto, devem ser recebidas como graça de Deus.

Em certo sentido, esse texto de Deuteronômio sintetiza tudo o que aconteceu ao longo da Torá. Lá no Gênesis, no início, quando Adão e Eva estavam no paraíso e romperam com Deus por causa do pecado, eles só romperam porque não se lembraram da história que tinham com Deus, não se lembraram de que a palavra que Deus lhes tinha dado era a palavra de um Deus de amor. No relato de Êxodo, por sua vez, quando Deus tira os israelitas do Egito e lhes entrega a lei, ele se apresenta resgatando sua história com o povo: "Eu sou o SENHOR, seu Deus, que o libertou da terra do Egito, onde você era escravo". Então, em Levítico, o Senhor aprofunda sua lei, convidando para um relacionamento de amor em santidade: "Sejam santos, pois eu, o SENHOR, sou santo. Separei-os de todos os outros povos para serem meus".

E finalmente, em Deuteronômio, Deus repete essa ideia. É como se ele dissesse: "Estamos caminhando juntos numa história de amor. Amem-me como eu amo vocês. Cumpram os mandamentos, não porque sejam uma exigência de meu amor, mas sim porque eu os amei antes de dá-los a vocês, e os dou como graça, como bênção, como prova de meu amor".

Se o povo de Israel era capaz de olhar para trás, ver a história da libertação do Egito e reconhecer o amor de Deus, quanto mais nós podemos olhar para trás, ver a história da libertação na cruz e reconhecer quanto Deus nos ama. No Egito Deus libertou o povo, e ali morreram os primogênitos dos egípcios; na cruz, porém, o Filho unigênito de Deus morreu para que nós fôssemos libertados. Na cruz Deus demonstrou seu amor de maneira ainda mais profunda e indubitável. Não há como olharmos para a cruz e duvidarmos do amor de Deus. E, se Deus nos ama, então nós o amamos de volta. E, se o amamos de volta, amamos de todo o coração, de toda a alma, de toda a força, porque estamos num relacionamento de amor e queremos demonstrar todo o nosso amor obedecendo a seus mandamentos.

É por isso que, em Mateus 22.34-40, Jesus Cristo dirá que esse é o maior dos mandamentos. Mas é por isso também que ele completará dizendo que o segundo maior mandamento é aquele que já vimos no livro de Levítico: amar o próximo como a nós mesmos. Se participamos dessa história de amor, e se somos amados por Deus muito mais do que poderíamos amar a nós mesmos, como então poderíamos não amar o próximo? Como poderíamos fazer de nós mesmos a finalidade de nossa vida? Não, não é possível: somos alvos do amor de Deus, um Deus de amor. Amar o próximo é uma maneira também de amar a Deus, porque se Deus ama tanto o outro que deu a esse outro o mesmo Jesus que deu a nós, como é que poderíamos viver em desavença com o outro e, consequentemente, entristecer a Deus? Amar o próximo é amar a Deus, porque Deus ama esse próximo como nos ama. E se nós amamos ser amados por Deus, amamos todos aqueles que Deus ama também.

Que hoje você tome a decisão de aprofundar-se ainda mais no amor a Deus. Sim, dedique-se com mais amor ao Senhor. Volte-se para as Escrituras, para a oração. E demonstre esse amor ao Senhor por meio do amor que você tem pelo próximo. Assim você estará cumprindo o primeiro dos mandamentos e reconhecendo que existe um único Senhor, que é o nosso Deus.

5
Aliados de Deus

O sucessor de Moisés à frente do povo de Israel foi um homem chamado Josué. Este não era seu nome de nascimento, mas sim Oseias. Em Números 13.16, porém, lemos que Moisés mudou o nome de Oseias para Josué. Não sabemos exatamente por que ele fez isso, mas sabemos que Oseias significa "salvação", ao passo que Josué, embora compartilhe da mesma raiz de Oseias, contém um prefixo que simboliza o nome de Deus. Josué, portanto, significa "Javé é a salvação".

A história de Josué, e na verdade a história de todas as batalhas descritas nos livros de Josué e de Juízes, evidencia essa verdade: a salvação é o Senhor. Frequentemente nessas batalhas, Deus manifesta-se de alguma forma, para mostrar que quem dá a vitória é ele mesmo, e não o poder do líder ou do exército. Assim é na batalha contra Jericó, quando a cidade inimiga cai sob o toque de trombetas, conforme ordenado pelo Senhor. Assim é também, no livro de Juízes, quando o Senhor ordena que Gideão reduza seu exército para enfrentar os midianitas, demonstrando que é Deus, e não o número de soldados, o responsável pela vitória. O tempo todo Deus evidencia que essa salvação é ele, é dele; ele é que carregará o povo em vitória até estabelecer sua vontade através de seus eleitos.

De todo modo, Josué é uma figura das mais interessantes no Antigo Testamento. Sabemos que as Escrituras hebraicas não poupam os "heróis" ou protagonistas de suas narrativas. Suas falhas de caráter, seus desvios morais são sempre expostos com extrema sinceridade. A Bíblia não oculta os erros de Abraão, de Moisés, de Davi e de tantos outros personagens relevantes. Mas Josué é um dos raros casos em que nada muito evidente parece macular sua história. É verdade que Josué 9 relata como ele foi enganado pelos gibeonitas, mas o texto em si não atribui ao erro de Josué uma falha moral ou espiritual.

Josué, esse "novo Moisés", se revela capacitado para liderar o povo. Ele lidera os israelitas em batalhas e leva a sério a lei do Senhor, cumprindo aquilo que Moisés havia pedido em seus discursos finais: que o povo seguisse as instruções e os preceitos de seu Deus.

Afinal, Josué estivera presente em meio a toda a história do povo no deserto. Ele viu o mar Vermelho se abrir. Viu o maná cair do céu. Viu todas as formas poderosas pelas quais Deus abençoou o povo durante a saída do Egito. E somente ele e Calebe haviam confiado que Deus lhes permitiria tomar Canaã e conquistá-la. Aqueles que duvidaram do poder do Senhor para lhes dar vitória foram condenados a morrer no deserto, e uma geração inteira se foi. Não foi o caso, porém, de Josué. Sua fé em que Javé era a salvação o manteve com o privilégio, dado por Deus, de ser um dos que entrariam na Terra Prometida.

Portanto, Josué tinha motivos muito profundos, como testemunha ocular de todas essas coisas, para ser fiel a Deus e confiar em que Deus estava agindo em favor de seu povo. Ele assim podia confiar porque tinha visto acontecer vez após vez. E, por isso, encara corajosamente, como líder do povo, a missão de conquistar a Terra Prometida.

Cabe destacar, porém, que antes de lutar contra Jericó, Josué vivencia um encontro sobrenatural.

> Quando Josué estava perto da cidade de Jericó, olhou para cima e viu um homem em pé diante dele, com uma espada na mão. Josué se aproximou e lhe perguntou: "Você é amigo ou inimigo?".
>
> O homem respondeu: "Na verdade, cheguei agora e sou comandante do exército do SENHOR". Então Josué se prostrou com o rosto no chão em sinal de reverência e disse: "Que ordens meu senhor tem para mim?".
>
> O comandante do exército do SENHOR respondeu: "Tire as sandálias, pois o lugar em que você está é santo". E Josué obedeceu.
>
> Josué 5.13-15

Segundo algumas interpretações desse texto, o encontro de Josué com o comandante do exército do Senhor foi um encontro com o próprio Deus, com o Senhor revelado, ou até mesmo com uma forma pré-encarnada de Jesus Cristo. Em todo caso, trata-se de um encontro transformador. A primeira pergunta de Josué, afinal, é: "Você é amigo ou inimigo?". Em outras palavras: Você é por nós ou contra nós? Está do nosso lado ou do lado daqueles com quem vamos lutar?

A visão de Josué até então era de que aquela circunstância, a tomada da terra e das cidades de Canaã, consistia numa experiência polarizada: o lado dos amigos, os israelitas, e o lado dos inimigos, os cananeus. Assim enxergava Josué a questão, mas quando ele se encontra com esse homem misterioso e lhe pergunta: "De qual lado da história você está? A qual exército está alistado?", a resposta é: "Eu não estou alistado a nenhum exército. Vocês é que devem estar do lado do exército mais poderoso, que é o exército do Senhor, do qual sou o comandante".

Em outras palavras, o comandante do exército do Senhor chamou a atenção de Josué para o fato de que, ainda que Deus tivesse abençoado o povo durante todo aquele período, dando-lhe maná, cobrindo-o do calor com a nuvem, iluminando-lhe o caminho à noite com a coluna de fogo, manifestando-se no tabernáculo, enfim, ainda que lhe tivesse dado provas irrefutáveis de bênção, ainda assim Deus não era um funcionário do povo hebreu. Deus não era a babá do povo, como se o povo fosse para sempre viver em forma infantilizada, como se fosse o centro da ação divina no mundo. O que esse comandante diz a Josué visa suprimir essa tendência de uma religiosidade egolátrica, que idolatra o próprio eu. Não, Deus não age em função de vocês; vocês é que são o povo que Deus adquiriu. Vocês é que são o povo para Deus, e não Deus é o Deus para esse povo.

Assim também é conosco. Ainda que não vislumbremos milagres tão espetaculares como os que o povo de Israel testemunhou, bastam algumas ações divinas de bondade e de graça, situações de puro deleite espiritual, e mesmo a gratidão pela salvação em Cristo Jesus, para pensarmos que Deus reina neste universo tão somente em nosso favor, apenas para que tenhamos nossas vontades satisfeitas. Com isso, corremos o risco de formar uma teologia em que nós somos o centro de tudo e que Deus é apenas um poder especial que recebemos ao professar nossa fé.

Esse texto de Josué, contudo, nos mostra que a batalha verdadeira é protagonizada pelo Senhor, e não por nós. Somos os coadjuvantes nessa história. Somos os que se alistam ao lado de Deus na batalha. Somos nós que devemos andar no caminho dele, em vez de puxá-lo para viver segundo a nossa vontade, no nosso caminho.

Há mais a destacar nessa passagem. Lembremos que o episódio se dá logo após o povo cruzar o Jordão para iniciar a conquista da terra. Os israelitas atravessam o rio, e quando começam a plantar na terra, a colher e desfrutar de seu fruto, o maná acaba. Assim diz Josué 5.12: "No dia em que começaram a comer das colheitas da terra, o maná deixou de cair e nunca mais apareceu. Daquele momento em diante, os israelitas passaram a se alimentar do que a terra de Canaã produzia". Não significa que Deus havia abandonado o povo; pelo contrário, significa que a provisão emergencial concedida por Deus durante os anos no deserto é agora substituída pelo que Deus deseja que o povo mesmo faça, isto é, que domine a terra em seu nome, como ele tinha dito para Adão fazer, lá no início de toda essa história. O povo deveria dominar a terra e fazê-la produzir alimento, desfrutando assim da criação de Deus.

A verdade é que Deus não está conosco apenas quando faz suas bênçãos caírem do céu sobre nós. Ele está conosco também no trabalho do dia a dia, nos afazeres mais comuns. Não fomos chamados para uma vida de milagres; milagres são exceções nessa história. Somos chamados para um relacionamento com Deus, um relacionamento que se manifesta no que é cotidiano, normal, ordinário. É um relacionamento para todo o tempo. Assim, justamente quando o maná para de cair, Josué tem um encontro visível com o comandante do exército do Senhor. Um encontro com o divino.

Mas será que se trata mesmo de Deus aqui? Em primeiro lugar, cabe destacar que Josué se ajoelha diante desse homem. Segundo, esse homem diz a Josué a mesma coisa que

Deus tinha dito a Moisés no encontro no arbusto em chamas: "Tire as sandálias, pois o lugar em que você está é santo". O lugar em que Moisés pisou, bem como o lugar em que Josué pisa, são santos porque a presença de Deus ali santifica o lugar. E, naquele ambiente agora santo, o Senhor chama Josué, como chamou Moisés, a estar em contato direto com a terra que o Senhor santificou, e que ele santificará também por meio de seu povo, seus representantes que devem dominar a terra para a glória de Deus. Todos esses elementos estão relacionados com a história de Gênesis e que, agora, o Senhor traz à tona no encontro com Josué.

A batalha, portanto, é de Deus. O exército é de Deus, constituído para cumprir sua vontade. Cabe ao povo aliar-se a Deus no estabelecimento de sua vontade, alistando-se a seu exército, a fim de alcançar a santificação da terra.

E, no caso de Josué, tratava-se de uma batalha real, militar, um conflito armado. A partir dos textos do Pentateuco, entendemos que esse mandamento de Deus para que o povo invadisse militarmente aquela terra tinha a ver também com o juízo de Deus. Era vontade divina que o povo que ocupava aquela terra, os cananeus, sofresse o choque de uma nova forma de vida, pois até então agia em injustiça. Tamanha era a maldade daquelas pessoas que a ira do Senhor se acendeu, e elas foram punidas por isso mediante o exército de Josué.

Em nosso tempo, contudo, não é assim que travamos a batalha. Na verdade, quando Josué pergunta: "Você é amigo ou inimigo?", ele já está separando as pessoas do mundo em dois lugares: o lugar de amigo ou o de inimigo. Mas quando o Senhor nos chama para entrar em seu exército, quando nos convoca para militar a seu lado, ele está nos convocando para olhar os seres humanos da maneira como ele olha.

E, no Novo Testamento, aprendemos que a batalha que o Senhor trava é outra. Sim, o homem que aparece diante de Josué está armado. A figura de Deus armado é frequente nas Escrituras hebraicas. Em Isaías 59.17, por exemplo, lemos que o Senhor "vestiu a justiça como armadura e pôs na cabeça o capacete da salvação. Cobriu-se com a túnica da vingança e envolveu-se com o manto do zelo". Em Efésios 6.10-17, porém, mais uma vez aparece essa figura da armadura de Deus. Quando o apóstolo Paulo nos exorta a nos revestirmos de toda a armadura de Deus, ele cita aparatos semelhantes aos do texto de Isaías. A igreja, afinal, deve vestir a roupa de Deus, porque a igreja, no mundo, é o corpo de Cristo.

Mas é nesse texto mesmo de Efésios que Paulo escreve: "Não lutamos contra inimigos de carne e sangue, mas contra governantes e autoridades do mundo invisível, contra grandes poderes neste mundo de trevas e contra espíritos malignos nas esferas celestiais" (Ef 6.12). Essa visão de Paulo é uma releitura da mentalidade de Josué, de que existem amigos e inimigos. Sim, o Senhor continua a exercer seu juízo. Dentro da nova aliança em Jesus Cristo, porém, somos chamados a agir com graça para com todas as pessoas. É nessa batalha que estamos alistados, e portanto agora amamos nossos inimigos. Eles agirão contra nós, buscarão o fim da paz, mas nós sempre, em todo momento, devemos demonstrar graça, amor, dar a outra face, andar outra milha, dar também a capa além da túnica. É o que o Senhor Jesus Cristo e os apóstolos nos pedem, que nos submetamos por amor ao próximo, para que o próximo conheça o Deus que é o Deus de amor.

Nos dias de hoje, muitos de nós enxergam o mundo como um campo de batalha, uma guerra entre cristãos e não cristãos, entre direita e esquerda, conservadores e progressistas.

ALIADOS DE DEUS

E é comum que tentemos arregimentar Deus para um desses lados, que são exércitos humanos, no anseio de fazer do outro um inimigo. É verdade que a Bíblia não diz que não haverá inimigos. Sem dúvida, há grupos que perseguem os cristãos, que fazem mal para os cristãos, que buscam o fim do povo de Deus. Mas a Bíblia também nos ensina a agir quando encontramos pessoas que se declaram nossos inimigos, e não é considerando-as inimigas de Deus. A maneira de tratarmos nossos inimigos é amando-os.

Se você está acostumado a olhar o mundo sob a ótica do antagonismo, um mundo dividido entre amigos e inimigos, entre pessoas boas e pessoas más, se frequentemente se vê movido em seu coração pela vontade de que uma pessoa ou um grupo de pessoas simplesmente desapareça, você não está se aliando ao exército de Deus. Pelo contrário, está tentando encaixar Deus dentro de sua visão de mundo. O que a Bíblia nos ensina é que, se temos inimigos, devemos amá-los. Portanto, se você enxerga este mundo como um mundo repleto de inimigos, significa que precisa amar ainda mais. É isso o que cristãos fazem quando estão rodeados de inimigos.

Tentar arregimentar Deus para nossas batalhas pessoais em vez de mostrar a graça de Deus para toda a humanidade é ignorar o agir de Deus. É Deus que nos reveste com sua armadura, para juntos agirmos com graça no mundo. Todas as pessoas, mesmo as que nos odeiam, carecem da graça de Deus, e devemos dar a elas aquilo que elas não têm. Todas as pessoas precisam conhecer a Jesus Cristo, e aquelas que estão distantes do poder libertador de Deus são escravas de Satanás, escravas de governantes e autoridades do mundo invisível. Nossos verdadeiros inimigos não são as pessoas que nos odeiam, mas sim os poderes demoníacos que as governam, e nós queremos a libertação dessas pessoas por meio da pregação do evangelho e do amor de Cristo demonstrado por nosso intermédio.

Busquemos, então, ao Senhor para que nosso coração seja mais amoroso. Que Deus desenvolva em nós a disposição para amar mesmo aqueles que se opõem à sua vontade. Aprendamos a sofrer o dano por graça, crescendo no amor que nos faz chorar por aqueles que nos difamam e nos odeiam. Coloquemos os joelhos no chão pedindo a santificação do mundo pela presença de Deus, e assim sejamos ministros de sua vontade, e não da nossa.

6
Dádivas de Deus

Os livros de Samuel recebem esse nome pela importância desse personagem para a história do Antigo Testamento. Samuel foi o último juiz do período dos juízes na vida de Israel. Atuou como sacerdote e profeta, e também foi o grande líder no processo de transição do governo de Israel sob a liderança de juízes levantados por Deus para um governo monárquico.

Logo no início de 1Samuel, encontramos a história de uma família. Elcana tinha duas esposas, Penina e Ana. Penina tinha filhos e filhas e se orgulhava muito disso, ao passo que Ana não tinha nenhum filho e se entristecia por sua condição. Penina via Ana como rival, já que o texto bíblico diz que Elcana amava muito Ana, mesmo ela não tendo nenhum filho seu. Penina humilhava a outra esposa de seu marido.

Numa ocasião em que a família de Elcana vai até o templo em Siló para adorar a Deus, Ana aproveita a oportunidade para clamar ao Senhor por um filho. Ela ora: "Ó Senhor dos Exércitos, se olhares com atenção para o sofrimento de tua serva, se responderes à minha oração e me deres um filho, eu o dedicarei para sempre ao Senhor" (1Sm 1.11). Ora com tanta intensidade e fervor que Eli, o sacerdote que estava ali perto, imaginou que ela estivesse bêbada. Ele se aproxima dela e diz: "Até quando vai se embriagar?", ao que ela responde: "Meu senhor, não bebi vinho, nem outra coisa mais forte. Eu estava derramando meu coração diante do Senhor, pois sou uma mulher profundamente triste. Não pense que sou uma mulher sem caráter! Estava apenas orando por causa de minha grande angústia e aflição" (1Sm 1.14-15).

Quem conhece a história sabe que Deus responde positivamente à oração de Ana. Ele lhe concede um filho, Samuel, e ela assume seu voto: espera alguns anos até que a criança esteja desmamada e então leva-a ao templo para entregá-la ao sacerdote Eli. "Com certeza o senhor se lembra de mim", diz ela a Eli. "Sou a mulher que esteve aqui anos atrás, orando ao Senhor. Pedi ao Senhor que me desse este menino, e o Senhor atendeu a meu pedido. Agora, eu o dedico ao Senhor. Por toda a sua vida ele pertencerá ao Senhor." E o texto conclui dizendo que "ali adoraram o Senhor" (1Sm 1.26-28).

Ana não podia ter filhos e clamou a Deus, que lhe deu filhos e a livrou de sua angústia. Ela então dedicou seu filho a Deus. Essa história nos ensina algumas coisas sobre ter filhos e criá-los diante de Deus.

Em primeiro lugar, os filhos são dádiva de Deus. Ana vai a Deus para clamar por um filho, entendendo que essa dádiva vem de Deus. Não à toa, ela dá a seu filho o nome Samuel, que tem um som parecido com a expressão em hebraico correspondente a "pedido a Deus". Filhos são sempre dados por Deus. Não existe nenhuma pessoa que tenha nascido sem que isso tenha sido dado por Deus. A vida é uma dádiva de Deus.

Na tarefa pastoral, já tive de conversar algumas vezes com mães que foram surpreendidas com a gravidez de gêmeos. Elas esperavam um filho e, quando foram fazer exames, descobriram que teriam dois. É sempre um choque, sempre algo até assustador, de certa forma. Mas eu sempre digo a elas: "O choque decorre de ser algo inesperado, mas nenhum filho é dado sem ser dado por Deus mesmo. Não existe nenhuma mãe de gêmeos que, lá na frente, não se alegre de ter tido dois em vez de um só". Portanto, filhos sempre são dádivas de Deus, mesmo quando inesperados, mesmo quando não programados. É Deus que concede a vida.

Mas não são apenas dádivas de Deus. Em segundo lugar, filhos são também uma honra, um privilégio que Deus concede aos pais. Ana vai a Deus para clamar por um filho porque ela é repetidamente objeto de humilhação e vergonha diante de Penina. É claro que ela não quis ter filhos apenas para poder jogar isso na cara da outra. Ocorre que, na mentalidade daquele tempo, a mulher e o homem terem filhos era sinal de uma honra conferida por Deus. Em nossos dias, vem se tornando cada vez mais comum encarar os filhos como uma espécie de estorvo ou tropeço em relação a uma carreira, a um plano estabelecido. Não é isso, porém, o que encontramos nas Escrituras. Na Palavra de Deus os filhos são honra, um privilégio dado por Deus.

Em terceiro lugar, contudo, filhos são também uma responsabilidade. Ana sabia muito bem disso. Quando faz seu voto, ela se compromete a dedicar seu filho a Deus. Ana se responsabiliza por encaminhar esse filho na direção de Deus, entregando-o para que fosse treinado no templo.

Há algo inusitado aqui. Ana não tem filhos, ela pede a Deus um filho, Deus lhe concede esse filho, e ela então entrega esse filho a Deus. Como é possível Ana, que tanto quis um filho, agora abrir mão de tê-lo? E, de fato, assim é toda a história de paternidade e maternidade daqueles que são filhos de Deus. É a história daqueles que recebem de Deus um filho, justamente com o propósito de entregá-lo de volta a Deus. É assim que se cria um filho segundo a vontade de Deus: reconhecendo que ele vem de Deus, mas visando entregá-lo de volta a Deus. Pais e mães sempre querem o bem de seus filhos, querem que tenham uma vida melhor do que a que eles mesmos tiveram, e isso só é possível quando reconhecem a realidade de nossa vocação para o encontro com Deus. Como escreveu Agostinho de Hipona: "Fizeste-nos para ti, e inquieto está o nosso coração enquanto não repousa em ti". É assim que criamos os filhos, sabendo que foi Deus que os deu, mas que eles só encontrarão descanso quando se encontrarem com Deus também.

O exemplo de Ana é um exemplo perfeito de quem entende a origem daquele filho: "Não vem de mim, vem de Deus"; e também de quem entende o destino daquele filho: "Também não é para mim, é para Deus". Podemos dizer que pais e mães criam os filhos para o mundo, mas pais e mães cristãos criam os filhos para Deus. Criar os filhos para Deus significa também deixá-los ir a Deus num caminho de autonomia espiritual. Ninguém quer ser para sempre responsável pelos filhos. Os filhos precisam, em algum momento, adquirir a própria responsabilidade, e isso se dá na autonomia em sua vida espiritual, num encontro direto com Deus, numa espiritualidade verdadeira e não terceirizada, mediada apenas por Jesus Cristo, e não pelos pais.

Isso é criar os filhos para Deus. E foi isso que Ana fez, talvez de forma muito mais precoce do que costumamos fazer, uma vez que ela entregou seu filho ainda criança para ser treinado no templo. Mas é assim que fazemos com nossos filhos. Passo a passo, dia após dia, vamos entregando-os a

Deus e encaminhando-os a um relacionamento, a um encontro real com Deus, porque eles foram criados por Deus e foram criados para Deus.

Retomando, os filhos são dádiva de Deus, são honra de Deus, e são também uma responsabilidade. Mas há mais um aspecto nessa história que nos lembra da importância dos filhos no plano de Deus: o fato de que os filhos também são manifestação de esperança.

Após o relato do clamor de Ana e do nascimento de Samuel, segue-se no capítulo 2 uma oração de louvor conhecida como "Cântico de Ana". Convém lermos esse cântico na íntegra:

> Meu coração se alegra no Senhor;
> o Senhor me fortaleceu!
> Agora dou risada de meus inimigos;
> sim, eu me alegro porque me libertaste!
> Ninguém é santo como o Senhor;
> não há outro além de ti,
> não há Rocha como o nosso Deus!
>
> Deixem de ser tão orgulhosos e soberbos!
> Não falem com tamanha arrogância!
> Pois o Senhor é um Deus que tudo sabe;
> ele julgará as ações de todos.
> O arco dos poderosos foi quebrado,
> e os que tropeçavam agora estão firmes.
> Os que tinham fartura de comida agora passam fome,
> e os que passavam fome estão saciados.
> A mulher que não tinha filhos agora tem sete,
> e a que tinha muitos desfalece.
> O Senhor tira a vida e dá a vida,
> faz descer à sepultura e de lá faz subir.

O Senhor empobrece alguns e enriquece outros,
   humilha e também exalta.
Levanta o pobre do pó
   e do monte de cinzas tira o necessitado.
Coloca-os entre príncipes
   e os faz sentar em lugares de honra.
Ao Senhor pertencem os alicerces da terra,
   e sobre eles firmou o mundo.

Ele protegerá os fiéis,
   mas os perversos desaparecerão nas trevas,
   pois ninguém vencerá só pela força.
Os que lutam contra o Senhor
   serão despedaçados.
Do céu ele troveja contra eles;
   o Senhor julga em toda a terra.
Ele dá poder a seu rei,
   concede força a seu ungido.

Ora, esse cântico de gratidão fala sobre muito mais coisas do que simplesmente a alegria de ter um filho. Fala sobre a esperança de Deus tomar os que são humilhados e colocá-los em posição de honra. Fala sobre reverter as injustiças do mundo. Fala sobre alimentar os pobres, cuidar dos necessitados e envergonhar aqueles que, de uma posição de poder, maltratam e esmagam os oprimidos. O que Ana expressa aqui, portanto, é uma esperança que transcende o fato de ela ter um filho, que transcende sua própria história, agora que teve a honra restaurada diante de Penina e das pessoas. Na verdade, ela está apontando para uma esperança eterna, que se inicia com o nascimento de seu filho. Samuel se tornará aquele que ungirá os primeiros reis de Israel, Saul e Davi.

Por isso o cântico termina com a frase "Ele dá poder a seu rei, concede força a seu ungido".

Acontece que, àquela época, Israel ainda nem rei tinha. O povo vivia o período dos juízes, um dos períodos de maior tristeza, dor e desgraça no meio do povo de Deus. Mas Ana olha para seu filho e vê nele a oportunidade de ver escrita a história do ungido do Senhor. E, de fato, é isso que acontece. Samuel ungirá o rei Davi, de cuja linhagem virá um Ungido superior a Davi, o Rei dos reis e Salvador de toda a humanidade: Jesus Cristo.

Não é à toa que o cântico de Ana encontra fortíssimos paralelos com o cântico de uma outra mãe, em Lucas 1.46-55. Em seu cântico, Maria, mãe de Jesus, também fala sobre o Deus que destrói os poderosos, eleva os humilhados e alimenta os famintos, o Deus que traz esperança. Toda maternidade, toda paternidade, todo filho é uma oportunidade de concretizar o plano de Deus para este mundo. Temos filhos porque temos a fé e a esperança de que Deus não parou de agir por meio de seu povo, e queremos que sempre haja povo de Deus para que Deus continue a agir neste mundo. Mesmo que vivamos épocas terríveis, que em muitos aspectos talvez até se assemelhem ao período dos juízes, continuamos a ter filhos, continuamos a dedicá-los a Deus, entendendo-os como dádiva de Deus e privilégio que Deus concede, na confiança de que ele tem planos irrevogáveis para seu povo.

Todavia, é importante lembrarmos que o fato de termos filhos e de sermos fiéis a Deus não significa que nossos filhos também serão. Na verdade, quando temos filhos não necessariamente aumentamos o povo de Deus, mas com certeza aumentamos o campo missionário. Filhos nascem pecadores e separados de Deus, e precisam ouvir a mensagem do evangelho e ser convertidos a ele. Por isso precisamos dedicá-los a Deus. Mas fazemos isso com esperança, porque cremos que Deus continua a agir. Assim, ensinamos nossos filhos segundo a vontade de Deus, dentro do propósito maior que o Senhor tem de revelar sua glória no mundo.

Às vezes algumas pessoas pensam: "Como é que posso pôr um filho num mundo tão terrível?". A mentalidade talvez devesse ser outra: "Como posso não querer ter um filho para um Deus tão maravilhoso?". Eu não acredito que todas as pessoas devam ter filhos, nem acredito que as pessoas que não os tenham estejam privadas de algum tipo especial de relacionamento com Deus. Os planos de Deus são diferentes para cada casal, e há muitas variáveis e variantes na condição e na vocação de cada pessoa. Mas eu quero lembrar que não é a situação trágica do mundo atual que define como Deus agirá na história; é Deus com seu plano que age, e ele age através das pessoas que constituem seu corpo, que é a igreja.

A igreja, obviamente, é formada por pessoas que nasceram. Talvez sejam pessoas que nasceram de pais cristãos e foram bem encaminhadas na vida cristã. Talvez sejam pessoas que nasceram completamente alheias a qualquer conhecimento de Deus e foram convertidas pela pregação do evangelho. E talvez sejam pessoas que foram convertidas por outras pessoas que nem filhos tiveram. O importante é pensarmos que, na pregação do evangelho para nossos filhos ou para aqueles outros que não conhecem a glória e a honra de Deus, está a esperança do Ungido, Jesus Cristo.

Então, seja qual for seu pensamento sobre ter ou não filhos, lembre-se sempre de que filhos são honra, dádiva, responsabilidade e esperança. E que nós os temos com o único propósito de dar honra e glória a Deus.

7
Formados pela Palavra

Que cena bíblica você gostaria de ter presenciado? Em qual cena histórica, relatada na Bíblia, você queria ter estado presente? Talvez assistir à abertura do mar Vermelho, talvez testemunhar o nascimento de Jesus, ou quem sabe presenciar o Pentecostes. São mesmo cenários maravilhosos.

Bem, se alguém me fizesse essa pergunta, eu diria que é o momento narrado em Neemias 8. Trata-se da ocasião que que Esdras está lendo o Livro da Lei e o povo, comovido, escuta e começa a aprender tudo aquilo que Deus tinha dado a Moisés, séculos antes. Eis o relato na íntegra:

> Em outubro, quando os israelitas já haviam se estabelecido em suas cidades, todo o povo se reuniu com um só propósito na praça em frente da porta das Águas. Pediram ao escriba Esdras que trouxesse o Livro da Lei de Moisés, que o SENHOR tinha dado a Israel.
>
> Assim, no dia 8 de outubro, o sacerdote Esdras trouxe o Livro da Lei perante a comunidade constituída de homens e mulheres e de todas as crianças com idade suficiente para entender. Ficou de frente para a praça, junto à porta das Águas, desde o amanhecer até o meio-dia, e leu em voz alta para todos que podiam entender. Todo o povo ouviu com atenção a leitura do Livro da Lei.

O escriba Esdras estava em pé sobre uma plataforma de madeira feita para a ocasião. À sua direita estavam Matitias, Sema, Anaías, Urias, Hilquias e Maaseias; à sua esquerda, Pedaías, Misael, Malquias, Hasum, Hasbadana, Zacarias e Mesulão. Esdras estava sobre a plataforma, à vista de todo o povo. Quando o viram abrir o Livro da Lei, todos se levantaram.

Esdras louvou o Senhor, o grande Deus, e todo o povo disse: "Amém! Amém!", com as mãos erguidas. Depois, prostraram-se com o rosto no chão e adoraram o Senhor.

Em seguida, os levitas Jesua, Bani, Serebias, Jamim, Acube, Sabetai, Hodias, Maaseias, Quelita, Azarias, Jozabade, Hanã e Pelaías instruíram o povo acerca da Lei, e todos permaneceram em seus lugares. Liam o Livro da Lei de Deus, explicavam com clareza o significado do que era lido e ajudavam o povo a entender cada passagem.

Então o governador Neemias, o sacerdote e escriba Esdras e os levitas que instruíam o povo disseram: "Não se lamentem nem chorem num dia como este! Hoje é um dia consagrado ao Senhor, seu Deus!". Pois todo o povo chorava enquanto ouvia as palavras da Lei.

E Neemias prosseguiu: "Vão e comemorem com um banquete de comidas saborosas e bebidas doces e repartam o alimento com aqueles do povo que não prepararam nada. Este é um dia consagrado ao nosso Senhor. Não fiquem tristes, pois a alegria do Senhor é sua força!".

Os levitas também acalmaram o povo, dizendo: "Aquietem-se! Não fiquem tristes! Hoje é um dia santo!".

Então o povo saiu para comer e beber numa refeição festiva, para repartir o alimento e celebrar com grande alegria, pois tinham ouvido e entendido as palavras de Deus.

Neemias 8.1-12

Que cena estupenda. E, dentro do contexto histórico do livro, creio que se torna ainda mais grandiosa.

Muitos indícios literários apontam que o livro de Esdras e o de Neemias compunham, originalmente, uma obra só. Essa grande obra, Esdras e Neemias, se proporia narrar como se deu o restabelecimento do povo na terra depois do exílio babilônico. Isto é, como, ao retornar para a terra, o povo se refez como povo de Deus.

Não se tratava de um mero processo de infraestrutura, por assim dizer. Era também um processo de reencontro com a própria identidade. O povo estivera por muitos anos no exílio, sem contato com aquilo que o distinguia dos demais povos. O que vemos em Esdras e Neemias, portanto, é o estabelecimento dos pontos de identidade mais importantes para o povo de Deus a partir da volta do exílio.

Um desses pontos é o templo. Neemias e Esdras narram o esforço pela reconstrução do templo que havia sido destruído quando da invasão dos babilônios. O templo seria de suma importância para constituir o papel do povo como povo que adora o Senhor. Boa parte do livro de Esdras se concentra nessa reconstrução do templo, assim como o fazem os livros do profeta Ageu e do profeta Zacarias, que retratam mais ou menos o mesmo período. Aliás, para ter um panorama desse cenário, vale a pena ler esses livros proféticos juntamente com os livros de Esdras e de Neemias.

Mas não era só o templo que contribuiria para essa reafirmação da identidade do povo. Também é o caso da reorganização da religiosidade a partir do estabelecimento dos levitas e dos sacerdotes. Durante todo esse tempo de exílio, o serviço sacerdotal permanecera suspenso, e agora era necessário retomar essa tradição.

Tudo isso se dá no período de Esdras e Neemias. Na passagem acima, porém, assistimos àquela que é a ocasião central de todo esse movimento: a retomada da lei de Moisés como a constituição, a diretriz geral da vida do povo.

Lembremos que, apesar do regresso à terra, o povo de Deus continuava sob o domínio dos persas. O império persa havia dominado toda a região da Mesopotâmia e permitido o retorno do povo para a Palestina, a terra de onde haviam sido tirados. Agora, portanto, eles tinham sua terra de volta, seu templo de volta, sua religião de volta. Politicamente, porém, não tinham um rei, não tinham autonomia, continuavam submetidos ao imperador persa. Então, com base nesse reencontro com a lei do Senhor, decidem dar o passo de fé e clamar para que Deus mesmo reinasse sobre eles. No encontro com a lei do Senhor relatado em Neemias 8, o povo reconhece a autoridade de Deus, como que dizendo: É essa a nossa lei! É com base nessas palavras que seremos regidos a partir de agora, muito embora continuemos politicamente submetidos ao império persa.

A leitura do Livro da Lei por Esdras e sua explicação subsequente pelos levitas geram no povo profunda comoção. Todos começam a chorar e se quebrantar, pois reconhecem, por meio da leitura da lei, que não têm agido com a justiça e retidão exigida por Deus. Ocorre, então, um grande arrependimento de todo o povo diante das palavras de Deus.

Como disse acima, considero essa cena muito tocante. Trata-se de uma maravilhosa ação de Deus a partir de sua Palavra, o quebrantamento do coração de um povo até então perdido, que tateava em busca de uma liderança legítima, sem saber como e se voltaria a ser o povo que fora no passado. E, agora, eles encontram a Palavra santa do Senhor,

FORMADOS PELA PALAVRA

derrubando todo e qualquer orgulho e fazendo-os prostrar-se em terra, em adoração ao Deus de seus antepassados.

Outro aspecto que me toca nessa passagem é que todo esse quebrantamento, todo esse choro e essa tristeza, uma tristeza genuína que gera arrependimento, como aquela de que o apóstolo Paulo fala em 2Coríntios 7.10, essa tristeza não deve ser acolhida naquele momento. "Não se lamentem nem chorem num dia como este!", dizem Esdras, Neemias e os levitas. "Hoje é um dia consagrado ao SENHOR, seu Deus!" Ou seja, eles devem se encher de alegria, porque a Palavra de Deus chegou.

Isso é maravilhoso. A leitura das Escrituras denuncia os pecados de nosso coração e nos leva a uma tristeza genuína diante de nossa injustiça, quando reconhecemos estar aquém da vontade de Deus para nós e para nossa vida. Ao mesmo tempo, contudo, essa tristeza é bênção e graça de Deus, e devemos acolhê-la com alegria, celebrando o fato de que não somos deixados à nossa própria sorte. É por isso que Neemias, Esdras e os levitas sugerem que o povo festeje, pois "este é um dia consagrado ao nosso Senhor" e "a alegria do SENHOR é sua força!".

Se prosseguirmos na leitura, em Neemias 9, encontraremos o momento apropriado, após a celebração decorrente da leitura do Livro da Lei, para que o povo se dedique ao quebrantamento e à tristeza, por meio de jejum, adoração, prostração, reconhecimento e confissão de pecados. Isso também é muito importante. Não devemos tão somente tomar a lei do Senhor como expositora de nossos pecados; devemos nos arrepender desses pecados.

Mas há um detalhe literário nesse texto que chama a atenção. Em Neemias 8.1, é dito que "todo o povo se reuniu com um só propósito na praça em frente da porta das Águas". O termo em hebraico traduzido por "com um só propósito" é, na verdade, "como um só homem". Ou seja, o povo se reuniu como se fosse uma pessoa só: o povo todo ouve, o povo todo fica de pé quando o Livro da Lei é aberto, o povo todo chora, o povo todo se ajoelha e se prostra diante de Deus, o povo todo diz amém.

Esse não é o único lugar nos livros de Esdras e de Neemias em que linguagem semelhante aparece. Em geral, esse tipo de linguagem aparece em momentos em que se destaca a formação de identidade do povo, como a reconstrução do templo e o estabelecimento da cidade. Nesse caso específico, porém, trata-se de uma união de propósito diante da lei do Senhor. A meu ver, o que o autor do texto bíblico está dizendo é que a lei cumpre um papel de formação de identidade e unidade, a ponto de torná-los como uma só pessoa diante da Palavra de Deus. Na Palavra, portanto, encontramos o fundamento de nossa unidade como igreja, como povo de Deus. Nós nos voltamos para as Escrituras, encontramos em sua leitura aquilo que há de errado em nós, nos arrependemos, festejamos a graça de receber essa palavra; mas, acima de tudo, reconhecemo-nos como parte de um mesmo povo, um povo que segue a mesma palavra, o mesmo Deus que se revela. O fundamento de nossa unidade é a revelação de Deus.

Uma igreja deve estar unida, portanto, ao redor daquilo que Deus fala, e não ao redor de um líder carismático ou de algum tipo de experiência coletiva, ou mesmo ao redor de entendimentos políticos e morais que estão à parte daquilo que as Escrituras dizem. Nós, como igreja, devemos nos voltar uns para os outros a partir do fundamento daquilo que Deus nos diz. Essa é nossa identidade formada pela Palavra.

Enxergamos exatamente isso em um texto do Novo Testamento, escrito séculos depois de Neemias. Trata-se da primeira carta de Paulo aos coríntios. A igreja de Corinto era uma igreja dividida, em que cada um buscava um tipo de ensinamento que julgava mais especial. Alguns diziam seguir o ensinamento de Paulo, outros diziam seguir os ensinamentos de Apolo, outros ainda os ensinamentos de Pedro, e alguns até diziam seguir o ensinamento de Jesus Cristo. Em outras palavras, era um povo dividido, cada qual portando uma identidade diferente, que considerava superior à dos demais.

Embora fosse um dos que disputavam a preferência em Corinto, Paulo não se arroga o privilégio de ser uma liderança prioritária. Ele não diz àquela igreja: "Aqueles que não me seguem estão errados. Certos estão os 'paulinos' da igreja". Pelo contrário, ele diz que todos eles, Paulo, Apolo e Pedro, realizam a mesma obra, todos pregam o Cristo crucificado, e é com base na proclamação do Cristo crucificado que a igreja se une.

É importante, contudo, pensar nessa unidade em termos mais amplos. O livro de Neemias narra como o povo construiu os muros de Jerusalém, estabelecendo os limites da cidade para que ela permanecesse sendo a Cidade Santa, a casa do templo. Neemias liderou essa reconstrução, e o povo todo se dedicou a essa tarefa, preparando a cidade e depois construindo suas casas. Com isso, a cidade voltou a se encher de pessoas, como era antes. Mas, passado algum tempo, todo esse esforço acaba por levar a outro tipo de erro. É claro que devemos encontrar nossa identidade na lei do Senhor, mas lembremos que a lei do Senhor primeiro nos atinge dizendo quão pecadores somos. Ao humilhar-nos dessa forma, ela nos mostra como devemos ter compaixão de todas as pessoas e assim também trazê-las ao encontro do Senhor em sua Palavra.

PALAVRAS QUE TRANSFORMAM

Não é isso, infelizmente, o que aconteceu com aquele povo. À medida que foram se concentrando na lei e em suas interpretações, eles também foram levantando muros, mas não muros de pedra, e sim muros de identidade. Reconheceram-se como nação preferida de Deus e passaram a excluir os gentios dessa comunidade que o Senhor queria estabelecer com todos os povos. Como dirá o próprio Jesus mais à frente, nos Evangelhos, o templo do Senhor que eles construíram deveria ser casa de oração para todos os povos, mas eles o transformaram em covil de ladrões. As gerações subsequentes àquela de Neemias vão ficando cada vez mais isoladas em termos de sua interpretação da vontade de Deus.

O mesmo se dá com a igreja primitiva, em 1Coríntios 3, e Paulo já mostra como isso é equivocado. O apóstolo diz que a palavra da cruz, que é escândalo para os judeus e loucura para os gregos, essa palavra é poder e sabedoria de Deus, pois os muros de separação foram derrubados e agora todos os que creem pertencem ao mesmo Cristo.

Como igreja, encontramos nossa identidade na Palavra de Deus e queremos que essa Palavra viva em nós, através de nós e entre nós. Mas ela também nos impõe uma abertura para todo aquele que é diferente e que precisa ouvir esse mesmo testemunho. A ação de Jesus Cristo de ser e trazer a Palavra de Deus para seu povo não tem por objetivo nos enclausurar em guetos religiosos. Em vez disso, é uma ação de abrir a família de Deus para todos os povos do planeta. E essa é nossa vocação missionária, a vocação de testemunhar dessa palavra, para que toda pessoa caia de joelhos, adore o Senhor, diga "amém, amém!", e então se coloque de pé e aja como um só povo diante de um só Deus.

8

O sofrimento inexplicável

Uma das grandes questões da humanidade, especialmente para os que creem em Deus, é a seguinte: se Deus é bom, por que nós sofremos?

No Antigo Testamento, no conjunto de livros assim chamados Poéticos, encontram-se os livros de Sabedoria, ou de literatura sapiencial: Jó, Provérbios e Eclesiastes. Eles representam uma tradição de pensamento do antigo povo hebreu, a tradição da sabedoria, associada principalmente à figura do rei Salomão, tido como o homem mais sábio de seu tempo. Esses três livros de sabedoria trazem consigo características em comum. Os sábios hebreus antigos se preocupavam quanto ao modo de viver. Em certo sentido, é uma preocupação que já havia na Torá: como o povo de Deus deve se conduzir na vida e se relacionar com Deus e uns com os outros?

Na Torá, esse tipo de ensinamento vinha atrelado ao discurso da aliança, à permanência ou ao rompimento do pacto estabelecido com Deus. Já os sábios hebreus observavam a existência e se questionavam: "Como alcançar a melhor maneira de viver? Como viver tendo mais vida, mais felicidade, com sucesso verdadeiro?". É a partir desse tipo de indagação que foi compilada toda uma série de ditados que orientaram a vida do povo hebreu e que orientam, ainda hoje, a vida do cristão.

Esses ditos estão reunidos principalmente no livro de Provérbios. Ao longo de sua leitura, a impressão é a de que os autores estão nos dizendo: "Aqui está uma boa maneira de viver. Se você seguir estes preceitos, terá uma vida feliz. Terá menos problemas e poderá aproveitar melhor a vida. Seja sábio, não seja tolo. O sábio vive mais e melhor, ao passo que o tolo pode até ser feliz em algum momento ou outro de sua história, mas terá uma vida mais curta e logo se verá cercado de dificuldades".

E, sem dúvida, nossas escolhas definem muito de nossa vida. Existem boas e más escolhas. Há caminhos que trarão consequências nefastas, e há caminhos que conduzirão a uma vida exitosa. Contudo, a tradição hebraica da sabedoria estendeu esse princípio para muito além do propósito original do livro de Provérbios. Muitos desses sábios começaram a acreditar que são nossas decisões e nossos atos o que produzirá consequências positivas ou negativas. Isto é, viam nessas escolhas algo inescapável: se fizermos o que é certo, receberemos boa recompensa; se fizermos o que é errado, receberemos um castigo ou uma consequência desagradável.

Acontece que o próprio livro de Provérbios diz que nem sempre é assim que as coisas funcionam. Em Provérbios 16.1, lemos: "É da natureza humana fazer planos, mas a resposta certa vem do Senhor". Ou seja, ainda que haja planos humanos, é o Senhor que fará acontecer aquilo que tem a ver com seus divinos propósitos. Há certo limite nessa equação. Pessoas que fazem o que é certo em todo tempo podem, sim, encarar situações de profunda adversidade, mesmo que tenham prezado pela retidão de sua conduta.

O SOFRIMENTO INEXPLICÁVEL

Uma leitura desatenta de Provérbios pode levar a pensar, portanto, que bastaria cumprir tudo o que o livro expressa e, pronto, todas as coisas darão certo na vida. De igual modo, bastaria transgredir alguma das instruções do livro para, invariavelmente, ser acometido por uma trágica consequência. Era exatamente isso o que pensavam alguns pensadores hebreus, levando esse tipo de conclusão a suas últimas consequências. Mas fica evidente, ao longo da história humana e mesmo em nossa experiência de vida, que não raro nos encontramos em situações que fogem de nosso controle e que não têm relação direta com aquilo que fizemos, seja certo, seja errado. Com frequência deparamos com tristezas e dificuldades simplesmente porque a vida é assim, porque habitamos num mundo repleto de dores.

O livro de Jó trará um desafio a esse determinismo moral que alguns sábios da época defendiam a respeito de nossa conduta e suas consequências. Esse livro fala de um homem justo, o mais justo sobre toda a terra, e que mesmo assim enfrenta graves aflições. Ora, se está correto o determinismo moral segundo o qual, se eu fizer tudo o que é certo, terei sucesso na vida, por que Jó, um homem tão justo, se viu diante de tantos problemas?

É essa a provocação que dá início ao livro. E para que não haja nenhuma dúvida acerca da justiça de Jó, o texto começa com o próprio Deus afirmando que Jó não é só um homem justo, como é o mais justo sobre toda a terra, a ponto de Deus apresentá-lo ao diabo como modelo de retidão. A resposta do diabo é basicamente a seguinte: "É claro que Jó é justo. Você o abençoou com tudo o que era possível: ele é feliz, saudável, tem uma família grande, com muitas riquezas. É lógico que ele seguirá a conduta correta. Agora, deixe-me mexer meus pauzinhos e remover esses benefícios para vermos se ele continuará a ser assim tão justo e admirável".

O diabo está apresentando outra leitura sobre a relação entre correção moral e sucesso na vida. Nessa leitura, se o sucesso da vida é resultado de uma vida reta, então na verdade a retidão só se mantém porque existe sucesso. Toda retidão nada mais é que uma forma de ganância, em que a pessoa faz o que é certo tão somente pelos benefícios que disso resultará.

O grande problema dessa doutrina não é só que ela é falsa e não funciona. O grande problema é que ela conflita com o que há de mais essencial em toda a fé cristã, que é o relacionamento de amor com Deus. O mandamento mais importante, como já vimos, é amar a Deus acima de todas as coisas, é estabelecer uma relação de amor com Deus. No entanto, quando alguém pensa consigo: "Se eu fizer o que é certo, Deus me dará o que é bom", já não se trata de uma relação de amor, mas sim de uma relação de troca. As bênçãos de Deus não são mais demonstração de seu amor; elas se tornam um direito adquirido em virtude da retidão humana. E isso é o oposto do que a narrativa bíblica visa nos comunicar. Deus não é apenas um Deus de recompensa: ele é um Deus de graça e misericórdia, que ama e salva o pecador. Não devemos olhar para ele apenas pelas lentes desse mecanismo de troca de retidão por favores.

O próprio Jó talvez ainda entendesse Deus sob essa ótica da recompensa, um Deus que dá o bom para quem faz o bem. Então as coisas começam a dar errado:

Certo dia, quando os filhos e as filhas de Jó estavam num banquete na casa do irmão mais velho, chegou à casa de Jó um mensageiro com esta notícia: "Seus bois estavam arando, e os jumentos, pastando perto deles, quando os sabeus nos atacaram. Roubaram todos os animais e mataram todos os empregados. Só eu escapei para lhe contar".

Enquanto ele falava, outro mensageiro chegou com esta notícia: "O fogo de Deus caiu do céu e queimou suas ovelhas e todos os seus pastores. Só eu escapei para lhe contar".

Enquanto ele falava, outro mensageiro chegou com esta notícia: "Três bandos de saqueadores caldeus roubaram seus camelos e mataram seus servos. Só eu escapei para lhe contar".

Enquanto ele falava, ainda outro mensageiro chegou com esta notícia: "Seus filhos e suas filhas estavam num banquete na casa do irmão mais velho. De repente, veio do deserto um vendaval terrível e atingiu a casa de todos os lados. A casa desabou, e todos os seus filhos morreram. Só eu escapei para lhe contar".

Jó 1.13-19

Num mesmo momento, Jó perde tudo o que tinha. Todos os bens, todos os animais, todos os filhos; tudo acaba de uma hora para a outra. E qual é a resposta dele, o homem justo que até então vivera o mais corretamente possível?

Então Jó se levantou e rasgou seu manto. Depois, raspou a cabeça, prostrou-se com o rosto no chão em adoração e disse:

"Saí nu do ventre de minha mãe,
    e estarei nu quando partir.
O SENHOR me deu o que eu tinha,
    e o SENHOR o tomou.
Louvado seja o nome do SENHOR!".

Em tudo isso, Jó não pecou nem culpou a Deus.

Jó 1.20-22

Admiravelmente, Jó não questiona os motivos de Deus. Em sua visão, algo deve ter acontecido para que Deus tenha permitido que as coisas acontecessem daquela maneira.

Insatisfeito com a reação de Jó, o diabo pede a Deus para tocar na carne de Jó, a fim de poder não só tirar seus bens, seus filhos e seus animais, mas também fazê-lo adoecer. Deus permite, sob a condição de que o diabo não tome a vida de Jó. "Então Satanás saiu da presença do SENHOR e causou em Jó feridas terríveis, da sola dos pés ao alto da cabeça. Jó, sentado em meio a cinzas, raspava a pele com um caco de cerâmica" (Jó 2.7-8).

Será que agora finalmente Jó se voltará contra Deus e o culpará por permitir que um justo sofra tanto assim? É o que recomenda sua esposa: "Você ainda tenta manter sua integridade? Amaldiçoe a Deus e morra!" (Jó 2.9). Mas a resposta de Jó continua sendo a de se submeter ao Deus todo-poderoso. "Jó responde: 'Você fala como uma mulher insensata. Aceitaremos da mão de Deus apenas as coisas boas e nunca o mal?'. Em tudo isso, Jó não pecou com seus lábios" (Jó 2.10).

São passagens como essa que nos levam a concluir que Jó era um homem capaz de suportar todo tipo de sofrimento. Acontece que, na sequência do relato, Jó não permanece em silêncio resignado, reconhecendo pacientemente o direito de Deus de fazer aquilo sobre ele. "Por fim, Jó falou e amaldiçoou o dia de seu nascimento. Disse ele: 'Apagado seja o dia em que nasci e a noite em que fui concebido'" (Jó 3.1-3).

O que aconteceu entre o capítulo 2, quando Jó se mostra resignado, e o capítulo 3, quando ele passa a amaldiçoar o dia em que nasceu? A pista se encontra em Jó 2.11-13:

O SOFRIMENTO INEXPLICÁVEL

Quando três amigos de Jó souberam das tragédias que o haviam atingido, cada um saiu de onde vivia e os três foram juntos consolá-lo e animá-lo. Seus nomes eram Elifaz, de Temã, Bildade, de Suá, e Zofar, de Naamá. Quando viram Jó de longe, mal o reconheceram. Choraram alto, rasgaram seus mantos e jogaram terra ao ar, sobre a cabeça. Depois, sentaram-se no chão com ele durante sete dias e sete noites. Não disseram nada, pois viram que o sofrimento de Jó era grande demais.

Quando perdeu tudo, Jó disse: "Louvado seja o nome do SENHOR!". Quando adoeceu, disse: "Aceitaremos da mão de Deus apenas as coisas boas e nunca o mal?". Mas depois ele ficou sete dias em silêncio, e ao final desses sete dias ele amaldiçoa o dia em que nasceu. O que o livro nos mostra é que o grande sofrimento de Jó não era perder todas as coisas que tinha, não era ficar doente sem causa aparente; o grande sofrimento era passar sete dias refletindo sobre sua tristeza e não encontrar uma resposta para a pergunta: "Por que Deus permite que o justo sofra?". O grande sofrimento de Jó era a perplexidade diante de um sofrimento que lhe parecia injusto.

Essa perplexidade é a mesma que se abate sobre nós quando coisas ruins nos acometem. Quando vivemos à luz de uma teologia da retribuição, em que nossa relação com Deus é uma relação de troca, o resultado é que careceremos de uma teologia forte o suficiente para explicar o lugar da dor inexplicável. Não disporemos de uma teologia que nos sustente no momento da perplexidade do sofrimento.

Jó se vê diante de duas alternativas: ou fez algo de errado e, por isso, merece o que está sofrendo, o que preserva a justiça de Deus; ou não fez nada de errado, mas Deus é desse jeito mesmo e se agrada de ver o justo sofrer, o que põe em xeque a justiça de Deus. Jó investiga sua vida, tenta compreender onde é que errou para merecer tamanha dor, mas não encontra resposta. Seus amigos, na tentativa de ajudá-lo, apresentam muitos dos clichês da sabedoria hebraica da época, ligados a essa mentalidade de troca, o que não é de nenhuma utilidade para Jó.

É só no final do livro, quando Deus lhe aparece, que Jó começa a ter uma perspectiva de qual era o problema. Deus não lhe aparece dando respostas, não aparece se justificando, não aparece explicando por que agiu como agiu. Ele aparece fazendo perguntas. Pergunta a Jó quem Jó achava que era para questionar os seus motivos. Pergunta onde Jó estava quando ele criou todo o universo. Pergunta qual é o poder de Jó para lidar com as grandes feras do reino animal. Deus não dá nenhuma resposta, ele só faz perguntas. E essas perguntas são suficientes para Jó concluir que estava preocupado com coisas grandiosas demais para ele, coisas que fugiam de sua alçada. Ele diz saber agora que nenhum dos planos de Deus pode ser frustrado, e que por isso se arrepende de ter agido tão insensatamente como agiu.

Jó aprende que nem sempre teremos resposta para todas as coisas, mas que Deus continua um Deus justo e verdadeiro. Sim, enfrentaremos sofrimentos que nos deixarão perplexos, mas de nada adianta, nesses momentos, tentar desvendar a razão da dor. Em vez disso, precisamos abraçar a perplexidade e buscar a presença de Deus conosco mesmo em meio ao sofrimento mais profundo.

Mas isso, eu devo reconhecer, talvez seja insuficiente. Pensar na história de Jó apenas dessa maneira, a história de alguém que sofreu pela falta de respostas e no final simplesmente aceita que não há respostas, parece um tanto quanto anticlimático. E, realmente, seria assim se a Bíblia acabasse aqui, com o livro de Jó. Não é o caso: as Escrituras seguem adiante, narrando a história de um outro justo. Um justo que era ainda mais justo que Jó, tão justo que o diabo também o tentou mas foi miseravelmente derrotado. Um justo que nunca, jamais, em nenhum momento pecou, e que não merecia, de forma nenhuma, nenhum sofrimento. Ainda assim, esse justo carregou o sofrimento sobre si, e não qualquer sofrimento, mas o sofrimento de todos os pecados de toda a humanidade. O sofrimento do próprio inferno recaiu sobre ele.

Esse justo é Jesus Cristo. O justo que sofreu na cruz.

Na cruz, Jesus leva todo o sofrimento, toda a dor e todo o pecado. Na cruz, Jesus sofre conosco. E não se tratava apenas da dor dos cravos nas mãos e nos pés, da dor dos espinhos da coroa em sua cabeça, nem mesmo da dor da própria morte. Tratava-se, também, da dor da perplexidade. Jó não entendia o motivo de seu sofrimento, e na cruz Jesus também eleva ao Pai uma palavra de perplexidade: "Meu Deus, meu Deus, por que me abandonaste?" (Mt 27.46).

Nem sempre teremos resposta para os sofrimentos que nos acometem na vida. Talvez muitos deles permaneçam para sempre inexplicáveis. Nesse momento, podemos abraçar a perplexidade. Não porque a perplexidade nos consola, mas porque também ela foi lançada na cruz de Jesus Cristo, aquele que perguntou "por quê?" quando estava sendo crucificado. E, logo depois disso, ele pôde entregar seu espírito ao Pai e ser sepultado, para ressuscitar após o terceiro dia e, assim, nos dar a certeza de que mesmo sofrimentos inexplicáveis um dia terão fim.

9
Coração feliz e humilde

Salmos é uma coletânea de cânticos do povo de Deus. É um grande hinário, compilado ao longo de diferentes séculos, daquilo que o povo cantava como parte de sua espiritualidade, tanto coletiva como individual. Trata-se, em sua maioria, de poemas endereçados a Deus, como se fossem orações, entoados em forma de louvor, adoração, súplica, confissão, contrição. Em suma, os salmos são palavras para Deus, palavras voltadas a Deus, o que faz de Salmos um livro único nas Escrituras.

Embora o título do livro em hebraico signifique "louvores", há também nessa compilação um tipo especial de salmos, de grande importância para a tradição do Antigo Testamento e com reflexos importantes para o Novo Testamento: os salmos de sabedoria. Em geral, pensamos sobretudo em Provérbios, Jó e Eclesiastes como sendo os livros sapienciais da Bíblia, o retrato da sabedoria divina revelada nas Escrituras, mas o fato é que já o primeiro salmo do livro é um salmo de sabedoria, que trata da vida sábia daquele que é justo, e de como essa vida sábia resulta em felicidade.

Não sabemos exatamente quem ou que grupo de pessoas compilou o Saltério, mas é de imaginar que tal compilador considerou uma boa ideia iniciar um livro de cânticos do povo de Deus mostrando como o louvor genuíno flui de uma vida pautada pela obediência a Deus. Nossos cânticos não podem ser desconectados de nossa prática diária. Apenas se estivermos tomados pela realidade da Palavra de Deus é que entoaremos cânticos tomados pela realidade da Palavra de Deus. Eis, então, como se inicia o livro de Salmos:

Feliz é aquele que não segue o conselho dos perversos,
 não se detém no caminho dos pecadores,
 nem se junta à roda dos zombadores.
Pelo contrário, tem prazer na lei do SENHOR
 e nela medita dia e noite.
Ele é como a árvore plantada à margem do rio,
 que dá seu fruto no tempo certo.
Suas folhas nunca murcham,
 e ele prospera em tudo que faz.
O mesmo não acontece com os perversos!
 São como palha levada pelo vento.
Serão condenados quando vier o juízo;
 os pecadores não terão lugar entre os justos.
Pois o SENHOR guarda o caminho dos justos,
 mas o caminho dos perversos leva à destruição.

Salmos 1.1-6

O salmo gravita em torno da lei do Senhor. A ideia de lei nos remete, muitas vezes, a restrições e limitações. Não parece combinar com a ideia de liberdade. Raul Seixas imaginou uma sociedade alternativa em que se poderia fazer tudo o que se quisesse, pois tudo seria "da lei". Uma lei que permite tudo, na verdade, é uma lei que não existe. Essa percepção de uma autonomia plena do ser humano está presente nas Escrituras desde o Éden, em que o ser humano, ao se ver restrito pela lei de não tomar do fruto proibido, opta por uma vida autônoma, em que pode se libertar dessa lei, comendo do fruto e com isso se afastando da presença de Deus. Nesse caso, a lei, na enganosa visão da serpente, tinha um caráter "limitador".

O primeiro salmo trará outra perspectiva a respeito da lei e da liberdade. Para isso, o salmista recorre a duas imagens. Comecemos com a segunda, a comparação entre uma árvore plantada junto a um rio e a palha levada pelo vento. Alguém poderia argumentar que a palha é um símbolo de liberdade, pois se move ao sopro do vento, ao passo que a árvore é um símbolo de limitação e imobilidade, pois está enraizada no solo. Para o salmista, no entanto, a árvore plantada é o justo, que é objeto da felicidade prometida no primeiro verso, enquanto a palha levada pelo vento é o ímpio, cujo caminho termina em destruição.

A árvore plantada está presa, imóvel, enraizada no solo, mas se trata de um solo nutritivo, perto de um ribeiro que passa por ali e a alimenta. A palha, por sua vez, está solta, voando pelo vento, cada vez num lugar diferente. Observemos, contudo, que essa palha tampouco é livre. Sim, ela está livre do solo, mas está presa ao vento. Ela não pode resistir ao vento que sopra, não pode impedir que o vento a leve para onde ele quiser. Estará sempre à mercê e ao sabor dos ventos. Enquanto isso a árvore, por mais forte que seja o vento que a atinja, permanecerá firme, presa ao solo.

A questão para o salmista não é se somos livres, autônomos, libertos de qualquer amarra, porque isso, no fim das contas, é impossível. A questão é: estamos presos a algo que nos dá vida ou a algo que nos leva à morte? O foco não é mobilidade, é a frutificação. Enraizados em solo nutritivo, frutificamos; soltos desse solo, podemos divisar aqui e ali novidades frequentes, mas não frutificaremos. A palha já foi planta um dia, e enquanto era planta estava viva. A árvore nunca foi palha, mas, plantada onde está, continua viva e frutificando. O salmo 1 nos convida, então, a depositar nossas raízes na lei do Senhor. Se nela meditarmos de dia e de noite, como uma planta que se alimenta de um rio que irriga o solo, viveremos nutridos pela Palavra de Deus e frutificaremos.

Com isso entendemos melhor a outra imagem que o salmo traz, a do caminho do pecador. A princípio, ele segue o conselho dos perversos, então se detém no caminho dos pecadores e, por fim, se junta à roda dos zombadores. Existe um processo de imobilidade nesse texto. Ele começa andando, então ele para e, por fim, fica imóvel junto a uma gente que zomba de quem anda ou de quem vive. O zombador é aquele que está imune à sabedoria, que transforma a sabedoria em sarcasmo. À frente de sua mente e de seu coração há um escudo de cinismo, e esse cinismo impede que sua vida seja transformada. Ele está numa posição de imobilidade irremediável. Já não pode ser posto em movimento.

A alegria da transgressão é uma alegria imediata, mas efêmera, que não se sustenta no longo prazo. É uma alegria que muitas vezes encurta a vida, que nos leva ao esgotamento da própria possibilidade de prazer. Assim, queimamos rapidamente o que pode ser prazeroso, como fogo de palha, sem nos firmar num processo de frutificação, que decorre de uma relação duradoura e nutritiva com Deus e com o próximo.

Em contrapartida, o caminho do que está enraizado no solo frutífero irrigado pela Palavra de Deus é um caminho de vida. O que está solto no vento, na verdade, é o imóvel zombador, estagnado junto à roda dos escarnecedores, para dali não sair mais. A ideia de lei, na Bíblia, opõe-se portanto à ideia de liberdade total apregoada em nossos dias, mas é na lei de Deus que o justo encontra seu prazer, a verdadeira liberdade, a verdadeira felicidade.

O justo tem prazer na lei do Senhor e nela medita dia e noite. Meditar nas Escrituras é uma disciplina espiritual de suma importância. Ela não só nos traz conhecimento, como também sabedoria, descanso, confiança, edificação e transformação. Mas a ideia de meditação na Bíblia é bem diferente da ideia contemporânea de meditação, cujo propósito é levar a pessoa a sentir-se bem consigo mesma ou livrá-la de pensamentos negativos. A meditação bíblica visa dar vida em nós ao conteúdo das Escrituras. A palavra hebraica para meditar provém da ideia de "recitar", o que demonstra o vínculo da meditação com o texto bíblico, a verdade propositiva da Palavra de Deus.

Assim, meditar na lei do Senhor é tomar as realidades da lei e aplicá-las à nossa vida. É recitar a Palavra de Deus para nossa mente e nosso coração, a fim de que, enraizados em seu solo nutritivo, andemos no caminho da justiça e cumpramos a vontade de Deus.

O primeiro salmo, com seu convite para que meditemos na lei do Senhor e nela encontremos nosso prazer, é uma belíssima porta de entrada para o Saltério como um todo. Afinal, conforme escreveu o teólogo alemão Dietrich Bonhoeffer, os salmos são compostos por palavras para Deus que são também palavras de Deus, uma vez que estão nas Escrituras e, portanto, são Palavra de Deus para nós. Nos salmos, lemos o encontro espiritual entre o salmista e Deus, e nesse encontro também nos encontramos com Deus e sua Palavra.

Nesse sentido, é possível dizer que os salmos se assemelham à própria figura de Jesus Cristo, que encarnado nos revela Deus, sendo ele próprio o Logos de Deus, a Palavra de Deus. Mas ele também é o ser humano que se dirige a Deus, é a palavra humana que atende aos preceitos divinos, é a obra humana que satisfaz a justiça divina, cumprindo assim aquilo que Deus exige. Jesus Cristo, assim como os salmos, é Palavra de Deus e é também palavra para Deus.

Essa realidade deve pautar a forma como nós, cristãos, abordamos os salmos. Se o salmista ao mesmo tempo é inspirado por Deus e se dirige a Deus de todo o seu coração, nós também recebemos de Deus, mediante Jesus Cristo, o encontro com sua própria Palavra, e nos voltamos para Deus com toda a sinceridade de nosso coração sabendo que, mediados por Jesus Cristo, nossa oração chegará ao Pai de maneira santa. Entendemos, assim, que estar diante de Deus, de coração aberto, com a integralidade de nosso ser, é algo que agrada ao Senhor.

Um grande exemplo disso é o salmo 131:

Senhor, meu coração não é orgulhoso,
    e meus olhos não são arrogantes.
Não me envolvo com questões grandiosas
    ou maravilhosas demais para minha compreensão.
Pelo contrário, acalmei e aquietei a alma,
    como criança desmamada que não chora mais pelo leite da
    mãe.
Sim, minha alma dentro de mim
    é como uma criança desmamada.

Ó Israel, ponha sua esperança no Senhor,
    agora e para sempre!

Esse salmo é atribuído ao maior dos salmistas, o rei Davi. E era um salmo recitado ou entoado pelos peregrinos que se dirigiam a Jerusalém para prestar culto a Deus. É nesse sentido que entendemos o último verso: "Ó Israel, ponha sua esperança no Senhor, agora e para sempre!". À medida que caminhavam na direção de Jerusalém como parte do povo de Deus, os israelitas clamavam que toda a nação depositasse no Senhor sua esperança.

Mas, apesar dessa expressão comunitária e de seu uso coletivo em Israel, há em todo o salmo 131 um tom marcadamente pessoal. Ele trata de coisas muito profundas do próprio salmista. Começa com uma declaração de humildade: "Senhor, meu coração não é orgulhoso, e meus olhos não são arrogantes". Em toda a Bíblia, de fato, há uma relação direta entre humildade e oração. É aos humildes que o Senhor concede graça, e é só em humildade que nos aproximamos do Senhor, reconhecendo que toda dádiva vem de suas mãos, e não de nossos esforços próprios. A humildade, portanto, é um requisito daquele que ora.

É isso, aliás, que aprendemos também com o apóstolo Pedro: "Portanto, humilhem-se sob o grande poder de Deus e, no tempo certo, ele os exaltará. Entreguem-lhe todas as suas ansiedades, pois ele cuida de vocês" (1Pe 5.6-7). Ou seja, ao entregar nossas ansiedades a Deus, estamos nos humilhando diante dele. Aqueles que tomam nas próprias mãos os problemas do mundo, que vivem por suas ansiedades, tentando dar conta dos afazeres sem se deferir ao Senhor, estes não estão se humilhando diante de Deus; estão vivendo em arrogância. Colocar diante do Senhor nossos medos e nossas aflições é uma forma também de adoração. É reconhecer que ele é o Deus poderoso, e não nós.

Na sequência, o salmista diz: "Não me envolvo com questões grandiosas ou maravilhosas demais para minha compreensão". Isso ecoa as palavras de Jó no final de seu livro, quando ele reconhece que "falei de coisas de que eu não entendia, coisas maravilhosas demais que eu não conhecia" (Jó 42.3). Tanto Jó, depois de toda a sua experiência de aflição, como Davi reconhecem que o Senhor lida com questões tão maravilhosas, tão acima de nossa compreensão, que nossa postura diante dele só pode ser de profunda humildade.

É óbvio que, com isso, não estamos dizendo que devemos centrar nossa vida apenas nas pequenas questões e não nos preocupar, por exemplo, com pandemias, crises financeiras, o avanço da devastação do meio ambiente e o aquecimento global, e assim por diante. O que esses textos nos ensinam é que devemos, antes de mais nada, crer no Senhor e diante dele, em oração, depositar nossa confiança com um coração humilde, abrindo mão de todo orgulho e toda arrogância. Só assim poderemos nos envolver em outras questões, inclusive aquelas que nos parecem tão maravilhosas e nas quais o Senhor fará sua obra, muitas vezes por nosso intermédio.

Em seguida, em oposição a uma postura de ansiedade e arrogância, o salmista apresenta a figura de um bebê no colo de sua mãe: "acalmei e aquietei a alma, como criança desmamada que não chora mais pelo leite da mãe". É uma lição de contentamento. Uma criança satisfeita, que acabou de mamar, aprendeu a se contentar naquilo que sua mãe lhe oferece. Ao reconhecer que o leite veio de sua mãe, ela aprende de onde vem seu sustento. Da mesma forma, conforme meditamos na Palavra de Deus e naquilo que de Deus recebemos, aprendemos, como expressou o primeiro salmo, de onde vem nossa nutrição, e com isso aprendemos a descansar no colo do Senhor, a repousar tranquilos e descansados, como árvore plantada à margem do rio.

O salmista, que já está saciado, volta-se então para o Senhor em oração, porque ele sabe que é do Senhor que depende toda a sua vida. Assim também nós devemos aprender a orar em todas as circunstâncias, não apenas na necessidade, não apenas no lamento, não apenas no clamor, mas também no descanso no colo do Senhor, na gratidão, como a criança que sorri para a mãe porque está feliz da vida. Esse tipo de relacionamento com Deus, um relacionamento que vai além da necessidade, é um passo primordial em nosso amadurecimento espiritual. É sinal de que aprendemos que Deus não é um ser mágico que resolve cada um de nossos problemas. Nele nossa alma encontra contentamento, e nele somos preenchidos de sentido, de consolo, de acalento. Então, firmados assim, com o coração feliz e humilde, depositamos nele toda a nossa esperança, descansando como uma criança que já não tem mais fome, como uma árvore plantada junto ao rio.

Em diversos momentos de minha vida, é o salmo 131 o texto ao qual recorro para consolar meu coração. Quando os problemas do mundo se intensificam, quando os meios de informação nos bombardeiam com notícias catastróficas por toda parte, frequentemente me encho de ansiedade e meu coração se agita. É então que me lembro de que as coisas que são maravilhosas demais para mim, grandiosas demais para eu lidar, não devem ser encaradas como se fosse responsabilidade minha resolvê-las. Antes, devo colocá-las humildemente diante do Senhor em oração.

Faça esse mesmo exercício em sua vida. A exemplo do salmista, não se esqueça de depositar diante de Deus todas as suas preocupações. E que, assim, sua alma possa descansar tranquila no colo do Senhor.

10

O Senhor é meu pastor

Um dos salmos mais famosos da Bíblia é o salmo 23. "O SE-NHOR é meu pastor, e nada me faltará." Todo mundo já ouviu essas palavras alguma vez, não é verdade? Quem sabe tenhamos visto esse verso estampado em um quadro ou bordado em um pano de prato. Essa promessa do sustento de Deus é mesmo reconfortante, e por isso faz sentido que esse salmo seja assim tão popular.

É bom confiarmos que Deus não nos deixará faltar coisa alguma. É bom vermos Deus como nosso provedor, aquele que cuida de nossas necessidades. Isso tudo nos traz segurança. E, para os que conhecem os versos seguintes do salmo, há mais segurança a se encontrar nas palavras desse belíssimo poema.

Em linhas gerais, o salmo 23 descreve um cenário em que um pastor cuida de uma ovelha com toda a dedicação e com todo o carinho. As palavras que compõem esse salmo revelam uma doçura especial nessa relação entre pastor e ovelha. Vejamos:

> O SENHOR é meu pastor,
>   e nada me faltará.
> Ele me faz repousar em verdes pastos
>   e me leva para junto de riachos tranquilos.

Renova minhas forças
e me guia pelos caminhos da justiça;
assim, ele honra o seu nome.
Mesmo quando eu andar
pelo escuro vale da morte,
não terei medo,
pois tu estás ao meu lado.
Tua vara e teu cajado
me protegem.

Preparas um banquete para mim
na presença de meus inimigos.
Unges minha cabeça com óleo;
meu cálice transborda.
Certamente a bondade e o amor me seguirão
todos os dias de minha vida,
e viverei na casa do SENHOR
para sempre.

Foi Davi quem compôs o salmo 23. Aliás, esse mesmo Davi, que foi rei em Israel, um líder emblemático do povo de Deus, havia sido anos antes um simples pastor de ovelhas. Por isso, porque o autor conhecia por experiência própria tal realidade, esse salmo se mostra tão rico ao descrever poeticamente a relação entre pastor e ovelha.

Não são apenas os escritos de Davi, contudo, que expressam essa relação. Trata-se, na verdade, de uma ilustração habitual no imaginário judaico e que aparece repetidas vezes ao longo das Escrituras. No Antigo Testamento, os reis de Israel são por vezes chamados pelo próprio Deus de pastores do povo. No Novo Testamento, nosso Senhor Jesus Cristo diz ser ele o bom pastor. E também os líderes da igreja primitiva logo começaram a ser chamados de pastores, como os encarregados de Deus para cuidar de seu rebanho. Para um povo habituado ao contexto pastoril, tratava-se de uma figura de fácil compreensão.

Todavia, não há no salmo 23 nenhuma dúvida a respeito do pastor a que Davi está se referindo. O primeiro verso, "O Senhor é meu pastor", já indica que o pastor é Javé, o Deus de Israel. Aqui, o Senhor é o pastor perfeito, o pastor que não deixa coisa alguma faltar para suas ovelhas. Deus se assemelha ao pastor na medida em que se dedica a uma série de atividades pastoris. Ele leva a ovelha para descansar em pastos verdejantes. Ele caminha com ela junto de águas tranquilas. Ele faz com que as forças da ovelha se renovem e a guia em caminhos de justiça. Ele cuida da ovelha nos momentos de aflição e de medo em meio ao sombrio vale da morte. Em outras palavras, esse pastor e a presença dele são, para a ovelha, garantia de plenitude.

Há um detalhe que sempre me chama a atenção nesse salmo. Como já dissemos, é um salmo curto, com apenas seis versos. Nesses seis versos, porém, deparamos com quatro verbos de movimento. No versículo 2, o salmista diz que o pastor o "leva para junto de riachos tranquilos". No versículo 3, diz que o pastor o "guia pelos caminhos da justiça". No versículo 4, refere-se à ocasião em que o pastor e a ovelha estão a "andar pelo escuro vale da morte". E, por fim, no versículo 6, ele diz que "a bondade e o amor" o "seguirão". Levar, guiar, andar e seguir: quatro verbos de movimento num salmo tão breve.

A conclusão óbvia é que, nesse salmo, o pastor não está cuidando de uma ovelha dentro de um aprisco. Esse pastor não está simplesmente mantendo a ovelha ali, cercada, indo até ela para alimentá-la e para cuidar dela sempre no mesmo lugar. Em vez disso, os personagens desse salmo são um pastor e uma ovelha que estão criando um relacionamento, uma história de dependência da ovelha em relação ao pastor, em meio a uma caminhada, uma jornada. Em outras palavras, eles estão andando.

E por onde é que eles andam? Essa é uma pergunta importante para entender o salmo 23. Eles andam pelos caminhos da justiça, conforme o verso 3. Todo esse salmo refere-se a uma caminhada do pastor com a ovelha através de caminhos de retidão, daquilo que é certo. No capítulo anterior, quando abordamos o salmo 1, destacamos que o salmista descreve dois caminhos, contrapondo dois tipos de prática: o da pessoa bem-aventurada, feliz, e o da pessoa ímpia, injusta. Caminhar é praticar. Assim é em toda a Bíblia. É assim no Antigo Testamento, em Gênesis, quando é dito que Enoque andava em comunhão com Deus. É assim no Novo Testamento, quando o apóstolo Paulo exorta os gálatas a andarem no Espírito uma vez que vivem no Espírito.

Ou seja, quando o salmista diz que o pastor guia a ovelha em caminhos retos, em caminhos justos, significa que Deus mesmo promove na vida do fiel as obras corretas, as práticas de justiça que expressam sua vontade. E Deus assim faz porque ele ama seu nome, ou seja, ele faz isso para que seu nome seja honrado, como expressa o verso 3: "Renova minhas forças e me guia pelos caminhos da justiça; assim, ele honra o seu nome". Quando Deus promove em nós as obras de justiça, ele mesmo é engrandecido por isso. Nossa santificação é obra de Deus em nossa vida para a glória do próprio Deus. Somos como obras de arte que dão testemunho da grandeza do artista que nos fez.

É no caminho da justiça, portanto, que desfrutamos de todas as bênçãos de ter um pastor perfeito. É no caminho da justiça que recebemos dele o descanso em pastos verdes. É no caminho da justiça que alcançamos refrigério para nosso coração sedento por águas tranquilas. E, no entanto, é também no caminho da justiça que passamos pelo vale da sombra da morte.

Ter um pastor perfeito não nos impede de encarar as durezas, as tristezas e os medos da vida presente. Trilhar o caminho da justiça, o caminho das obras justas e boas que Deus opera em nós, não significa que nossos pés só conhecerão pastos verdes e ribeiros tranquilos. Nós passamos também por momentos em que achamos que vamos morrer, momentos de trevas profundas. Mesmo nesses momentos, porém, continuamos a desfrutar da presença do pastor.

Procuremos imaginar agora um pouco mais de perto essa caminhada do pastor com sua ovelha. Imaginemos que o pastor precisa levar a ovelha de um lugar até o outro. Ele vai passando por todos esses pontos maravilhosos, pastos verdes e riachos tranquilos, até que subitamente dá de cara com um vale no meio do caminho. Com a ovelha a seu lado, ele passa por esse vale estreito, com uma montanha à direita e uma montanha à esquerda, um lugar que projeta sobre o caminho uma densa sombra. Nessas montanhas escondem-se alguns predadores, talvez lobos famintos prontos a atacar quem quer que passe pelo caminho. E suponhamos que essa ovelha tenha vontade própria, isto é, que seja uma ovelha racional. Ao ver esse vale e essas montanhas perigosas, ela resolve que não quer passar por ali. Quer se desviar do caminho, quer abandonar esse caminho da justiça, no intuito de garantir a própria segurança. O pastor, no entanto, continua andando sempre pelo que é certo, pelo caminho da justiça. Mas a ovelha, ao abandonar as boas obras, ao abandonar a justiça na qual ela é guiada pelo pastor, logo se encontrará sozinha.

Quando o crente depara com momentos de dificuldade, de medo, de escuridão e até mesmo de risco à própria vida, ele não deve abandonar os princípios da justiça. Não deve abandonar o caminho pelo qual o Senhor o guia e deixar de fazer o que é certo, buscando atalhos, subterfúgios que o possibilitem livrar-se da dificuldade. Pelo contrário, se temos de passar pelas tribulações por sermos justos, devemos nos consolar no fato de que o bom pastor não nos deixa sozinhos. Ele está conosco também na escuridão do vale da sombra da morte. Está conosco quando passamos diante dos olhares de inimigos vorazes. Está conosco e não nos abandonará, pois está munido de sua vara e de seu cajado para nos conduzir no que é correto e para nos livrar de inimigos que nos assolem. O salmo 23 nos fala, portanto, de um Deus que não é apenas provedor, mas que é também companheiro. Não é um Deus que simplesmente nos dá coisas, não nos deixando faltar coisas materiais. Na verdade, é um Deus que também não deixa faltar sua presença ao nosso lado. Ele está sempre conosco. Não é um Deus que apenas nos dá coisas, mas é um Deus que se dá a nós. Assim, quando dizemos: "O Senhor é meu pastor e nada me faltará", estamos dizendo: "Eu tenho o Senhor, e já não preciso de mais nada".

E aqui está a última e mais importante lição que extraímos do salmo 23. Com base nas Escrituras como um todo, podemos afirmar não apenas que Jesus é nosso bom pastor, mas também que, como diz o Evangelho de João, ele é "o caminho, a verdade e a vida" e "a porta das ovelhas". Sim, Jesus é o pastor, o pastor da igreja, o pastor das ovelhas; mas

Jesus também é o próprio caminho da justiça, a porta pela qual passamos como ovelhas conduzidas por Deus. Significa então que essa justiça do caminho, que é tão imperfeita em nós, em vista das tantas coisas erradas que fazemos, é perfeita em Cristo. Cristo é que cumpre a jornada do caminho da justiça. Ele é a ovelha que honra o nome do pastor, sem nunca se desviar do que é justo e do que é certo. É em Cristo, no caminho que é Jesus, que nós desfrutamos da companhia do pastor, do próprio Deus, que nos alimenta e de nós cuida.

É por ser Cristo o justo, a ovelha que está sempre no caminho correto, que mesmo em nossos descaminhos Deus nos abençoa e nos nutre com seu cuidado. Então, o que nós fazemos? Nós deixamos que a justiça de Cristo se manifeste em nossa vida, que o caminho de Cristo seja o nosso caminho, que o andar de Cristo seja o nosso andar. E, quando nos desviamos dele, o próprio Senhor nos busca por amor a Cristo, que nunca se desvia e é sempre justo. Sim, Cristo é o pastor; sim, Cristo é o caminho; mas Cristo é também a ovelha, o cordeiro que, depois de uma vida de justiça, cumpriu o preço de toda a nossa injustiça, para que não haja mais injustiça a pairar sobre nossa vida, de modo que sejamos declarados justos pelo bom pastor.

Por isso a promessa do último verso do salmo 23 é certeza em nossa vida: "Certamente a bondade e o amor me seguirão todos os dias de minha vida, e viverei na casa do Senhor para sempre". Sabemos que sempre seremos objetos do amor e da bondade de Deus, porque ele já nos deu seu próprio Filho, a maior prova de amor que nós recebemos no caminho. "Se ele não poupou nem mesmo seu próprio Filho, mas o entregou por todos nós, acaso não nos dará todas as outras coisas?", pergunta o apóstolo Paulo (Rm 8.32). Sim, o Senhor se deu a nós, ele nos deu seu próprio Filho. E, no Filho, encontramos o relacionamento com o bom pastor, que não nos deixa faltar coisa alguma.

Nosso desafio é sempre provar mais da justiça e da vida de Jesus Cristo. É buscar cada vez mais que as obras de Jesus sejam as nossas. É olhar para Jesus com toda a gratidão de sermos considerados amigos e ovelhas de Deus e viver então essa nova vida de ovelhas desse Deus. Uma vida no caminho justo, para que o Senhor seja exaltado em nós, porque ele nos salvou e merece nada menos do que tudo o que somos.

11
Sábio é aquele...

Refletimos anteriormente sobre o salmo 1 e uma vida feliz. O salmista nos incentivou a andarmos em retidão, no caminho do justo, e não no caminho do ímpio, aquele que não teme o Senhor. O livro de Provérbios também insiste nesse tema. Os ditados aqui compilados recomendam que tomemos decisões corretas, prudentes e sábias em nossa vida, e que resistamos a todo tempo às tentações da tolice, da loucura e da insensatez.

Provérbios pertence a uma tradição típica do pensamento hebraico do Antigo Testamento, que é a tradição de sabedoria. O livro guarda fortes vínculos com a figura do rei Salomão, a quem são atribuídos a maioria dos provérbios aqui compilados, muito embora não se saiba exatamente se ele mesmo escreveu esses provérbios ou se compilou ditados de outras regiões do mundo, tendo em vista a forte interação de seu reinado com as nações à sua volta.

Os nove primeiros capítulos de Provérbios formam uma longa introdução que discorre sobre a Sabedoria e a Insensatez, e a importância de buscar uma vida sábia. Na sequência, diferentes coleções de provérbios vão se acumulando até o final do livro. São coleções diferentes, a maior delas atribuída a Salomão. Alguns desses provérbios foram compilados no período do rei Ezequias, muito tempo depois de Salomão, ainda que possam ser provérbios já conhecidos desde o início do governo monárquico em Israel.

Esse caráter fragmentário do livro por vezes dificulta que enxerguemos unidade em Provérbios. Na verdade, há um tema geral que perpassa todos os ditados dessa compilação. Trata-se do convite da Sabedoria para que vivamos uma vida sábia, praticando aquilo que é justo, bom e verdadeiro e que flui de nosso temor do Senhor, "o princípio da sabedoria" (Pv 9.10).

É possível ler Provérbios em pequenas porções, ou mesmo um ditado por vez, a fim de obter inspiração para tomar boas decisões e agir de maneira justa num mundo tão complexo como o nosso. Mas quem se dedica a uma leitura integral do livro encontra uma preciosa conclusão no famoso trecho sobre a mulher virtuosa em Provérbios 31. É um texto frequentemente usado para ensinar às mulheres cristãs como elas devem agir e até para exaltar as tantas mulheres sábias em nossas igrejas que têm abençoado a história do povo de Deus. Usar esse trecho desse modo, porém, ainda que com boas intenções, é desconsiderar o tema geral do livro, ou ao menos é abordá-la de maneira rasa. Porque a passagem sobre a mulher virtuosa não diz respeito somente à mulher virtuosa.

Mas leiamos primeiro esse trecho na íntegra antes de aprofundarmos nossa reflexão a respeito dele:

> Quem encontrará uma mulher virtuosa?
> Ela é mais preciosa que rubis.
> O marido tem plena confiança nela,
> e ela lhe enriquecerá a vida grandemente.
> Ela lhe faz bem, e não mal,
> todos os dias de sua vida.

SÁBIO É AQUELE...

Ela adquire lã e linho
e, com alegria, trabalha os fios com as mãos.
Como navio mercante,
traz alimentos de longe.
Levanta-se de madrugada para preparar a refeição da família
e planeja as tarefas do dia para suas servas.

Vai examinar um campo e o compra;
com o que ganha, planta um vinhedo.
É cheia de energia,
forte e trabalhadora.
Certifica-se de que seus negócios sejam lucrativos;
sua lâmpada permanece acesa à noite.

Suas mãos operam o tear,
e seus dedos manejam a roca.
Estende a mão para ajudar os pobres
e abre os braços para os necessitados.
Quando chega o inverno, não se preocupa,
pois todos em sua família têm roupas quentes.

Faz suas próprias cobertas
e usa vestidos de linho fino e tecido vermelho.
Seu marido é respeitado na porta da cidade,
onde se senta com as demais autoridades.
Faz roupas de linho com cintos
e faixas para vender aos comerciantes.

Veste-se de força e dignidade
e ri sem medo do futuro.
Quando ela fala, suas palavras são sábias;
quando dá instruções, demonstra bondade.
Cuida bem de tudo em sua casa
e nunca dá lugar à preguiça.

PALAVRAS QUE TRANSFORMAM

Seus filhos se levantam e a chamam de "abençoada",
e seu marido a elogia:
"Há muitas mulheres virtuosas neste mundo,
mas você supera todas elas!".

Os encantos são enganosos, e a beleza não dura para sempre,
mas a mulher que teme o Senhor será elogiada.
Recompensem-na por tudo que ela faz;
que suas obras a elogiem publicamente.

Provérbios 31.10-31

Esse texto integra o último capítulo de Provérbios, uma coleção de ditados atribuídos à mãe do rei Lemuel. Não sabemos exatamente quem foi o rei Lemuel, muito menos quem foi sua mãe, mas sabemos que esse capítulo é atribuído a uma mulher. São ditados e ensinamentos que uma mãe passa para seu filho. De fato, todo o livro de Provérbios pode ser visto como transmissão da sabedoria dos pais para um filho. E não se trata de qualquer filho: é o herdeiro do trono, alguém que assumirá o governo ou alguma função de autoridade a fim de administrar um reino.

Diante de uma missão tão árdua, esse jovem precisava ser ensinado com muita dedicação. E aqui vemos os ensinamentos de uma mãe para um filho que viria a se tornar rei. Em Provérbios 31.1-9, ela diz que Lemuel não deveria desperdiçar sua força com mulheres insensatas, que levam à perdição, nem deveria se entregar ao álcool, porque a bebida tira a sensatez de quem a consome. Em vez disso, deveria falar em favor dos que não podem se defender e garantir justiça aos aflitos, atentando-se para os desprovidos de recursos e providenciando-lhes justiça e dignidade.

Se no início do capítulo 31 a mãe do rei Lemuel o exorta a

SÁBIO É AQUELE...

não se envolver com mulheres imorais, a partir do versículo 10 ela apresenta esse belo poema acerca da mulher virtuosa com quem um rei deveria se casar. A princípio parece inusitado que seja justamente esse o texto que encerra o livro de Provérbios, depois de toda a exposição sobre a Sabedoria ao longo dos capítulos anteriores. Mas como já dissemos essa passagem não diz respeito especificamente a como uma mulher deve agir ou ser. A passagem, na verdade, amarra todas as pontas que foram abertas na longa introdução de Provérbios, aqueles primeiros nove capítulos sobre a Sabedoria e a Insensatez.

Observemos o que diz Provérbios 9.1-3:

> A Sabedoria construiu sua casa
> e ergueu suas sete colunas.
> Preparou um grande banquete;
> misturou os vinhos e arrumou a mesa.
> Enviou suas servas para convidarem a todos;
> do ponto mais alto da cidade, ela clama.

Aqui a Sabedoria é personificada como uma mulher. E uma mulher que prepara refeições, que põe a mesa e dá tarefas às servas, a exemplo da mulher chamada virtuosa descrita em Provérbios 31. É uma mulher que, como aquela citada também em Provérbios 14.1, edifica seu lar.

E, no entanto, não é só a Sabedoria que é personificada dessa maneira; também a Loucura, ou a Insensatez, é vista como uma mulher. Leiamos agora Provérbios 9.13-17:

> A mulher chamada Insensatez é atrevida;
> é ignorante e nem se dá conta disso.
> Senta-se à porta de sua casa,
> no ponto mais alto da cidade.

Clama aos que passam pelo caminho,
  ocupados com seus próprios assuntos:
"Venham à minha casa todos os ingênuos",
  e aos que não têm juízo ela diz:
"Água roubada é mais refrescante!
  Pão comido às escondidas é mais saboroso!".

São duas mulheres, portanto, aqui em Provérbios 9: uma que personifica a Sabedoria e outra que personifica a Insensatez. Esta última senta-se à porta de sua casa convidando os desavisados e os ignorantes para que entrem, ou seja, para que ajam de maneira tola, insensata. De fato, em todo o livro de Provérbios as mulheres aparecem como encarnações de atitudes sábias ou atitudes tolas. Nos capítulos 5 e 7, por exemplo, encontramos uma série de advertências contra a mulher imoral e sua sedução mortal, em traços típicos da mulher Insensatez. De igual modo, quando a mulher recebe elogios em Provérbios, é por encarnar justamente as atitudes da mulher Sabedoria.

O que isso significa, afinal? Significa que Provérbios 31 não é, de modo algum, um convite para que homens saiam à procura de mulheres que atendam a cada um dos itens daquela lista. Antes, é um convite para que todas as pessoas se casem com a Sabedoria, para que vivam um compromisso eterno com a Sabedoria. Assim, quando o texto bíblico diz que a mulher virtuosa cuida dos pobres, não significa que o homem deve procurar uma mulher generosa para se casar, mas sim que homens e mulheres devem ser generosos e fazer justiça. Quando o texto diz que a mulher virtuosa é prudente, que se prepara para o inverno e não é preguiçosa, significa que todos nós devemos nos apropriar dessa forma de vida sábia. Todos somos convidados a um compromisso com a Sabedoria, a ser nela edificados e formados em suas práticas.

Significa, então, que são enganosas todas as pregações que já ouvimos sobre Provérbios 31 dizendo que as mulheres devem se encaixar naquele molde? Não exatamente. Existe naquelas palavras, sem dúvida, um propósito de aconselhar as pessoas a respeito do tipo de casamento que elas devem ter. Em primeiro lugar, porém, a mulher de Provérbios 31 é uma encarnação da Sabedoria, e uma vez que a Sabedoria é dádiva de Deus para todos os seres humanos, estamos sendo todos convidados, homens e mulheres, a viver com ela um compromisso análogo ao compromisso conjugal.

Acredito que Provérbios 31 nos ensina que a vida de alguém que preza pela sabedoria pode ser pervertida quando essa pessoa se encanta por outra cuja conduta é insensata. Encontramos exemplos disso nas Escrituras, sobretudo na vida de reis como Davi e Salomão, cujos muitos casamentos resultaram em grande prejuízo para os respectivos reinados. Mas a mesma coisa pode acontecer com mulheres instruídas na Palavra de Deus, que buscam uma vida de santidade mas que, em algum momento, acabam se encantando por homens insensatos, que não seguem a sabedoria de Deus.

O fim desse tipo de relacionamento não costuma ser bom. Por isso precisamos cuidar para viver com sabedoria tanto em nossa conduta individual quanto em nossos relacionamentos, sobretudo aqueles com quem nos comprometemos para a vida toda. Prudência, justiça, misericórdia, trabalho duro, interesse e cuidado pela família, todas essas características que devem estar presentes na vida de homens e mulheres, solteiros e casados. Todos devemos buscar uma vida sábia, todos devemos nos casar com a Sabedoria antes de nos casar com outra pessoa.

O livro de Provérbios, como um todo, ensina como devemos nos conduzir diante das encruzilhadas da vida, a fim de tomar a decisão correta quando houver mais de uma alternativa à nossa frente. Nele somos convidados a uma reflexão prática, sempre sob a ótica da sabedoria que é dádiva de Deus. E para fazer isso em família, em comunhão, em relacionamento, é preciso que estejamos ao lado de pessoas que buscam a mesma sabedoria que nós, que incorporam os mesmos valores. Assim estaremos preparados para o desafio de viver sabiamente neste mundo, cientes não apenas de que prestaremos contas a Deus de todos os nossos atos, mas também de que nele encontramos toda a Sabedoria necessária para não ceder aos encantos enganosos da Insensatez.

12
A redenção do desejo

O que sexo e casamento tem a ver com o reino de Deus? Encontramos uma resposta preciosa em Cântico dos Cânticos, um dos livros poéticos do Antigo Testamento.

Cântico dos Cânticos é um poema romântico que, em alguns trechos, chega a resvalar no erótico. Seus versos descrevem partes do corpo da pessoa amada e falam sobre a relação amorosa entre um homem e uma mulher. Isso, aliás, suscitou dificuldades até para que o livro encontrasse lugar no cânon bíblico, pois havia quem questionasse se era possível incluir entre os livros sagrados um poema com uma linguagem tão insinuante e ousada.

Outros, por sua vez, incentivavam leituras que conferiam ao livro uma mensagem diferente daquela mais literal. Tais leituras atribuíam a Cântico dos Cânticos não a descrição de um relacionamento entre homem e mulher, mas sim uma maneira metafórica, simbólica de falar do relacionamento entre Deus e seu povo. Trata-se de um método de interpretação muito antigo, que existia já desde as escolas judaicas de interpretação das Escrituras hebraicas, segundo as quais o livro consistia numa alegoria sobre o relacionamento de Javé com o povo de Israel. De fato, essa linguagem existe tanto no Antigo como no Novo Testamento, em passagens em que Deus trata seu povo como sua esposa ou em que Cristo e a igreja são descritos como um casal que celebrará as bodas no fim dos tempos.

Em geral, porém, as tentativas de análise alegórica desse livro falham quando se propõem atribuir um significado espiritual a cada verso do poema. Uma leitura mais natural mostra que, primariamente, esse texto trata do relacionamento entre um homem e uma mulher. E, no entanto, cabe dizer que existe também o erro contrário: ler Cântico dos Cânticos única e exclusivamente como um texto sobre o amor romântico, descolando toda essa poesia da história bíblica maior. Existe, sim, uma conexão entre Cântico dos Cânticos e toda a história que está sendo contada desde Gênesis até Apocalipse. E é isso o que procuraremos entender aqui: como a história de amor relatada em formato poético nesse livro se vincula com a história maior do amor de Deus por nós, sem cair no primeiro erro de dizer que é simplesmente uma alegoria, mas também sem cair no segundo erro de dizer que se trata de algo relativo apenas a um casal e que nada tem a ver com o povo de Deus.

Assim, para o devido entendimento de Cântico dos Cânticos, precisamos resgatar Gênesis, o primeiro livro da Bíblia. É em Gênesis, especialmente nos primeiros capítulos, que tomamos conhecimento da criação do casal primordial, Adão e Eva, e dos efeitos do pecado sobre a vida deles. Relembremos o que diz Gênesis 1.27-28:

> Assim, Deus criou os seres humanos à sua própria imagem,
> à imagem de Deus os criou;
> homem e mulher os criou.

Então Deus os abençoou e disse: "Sejam férteis e multipliquem-se. Encham e governem a terra. Dominem sobre os peixes do mar, sobre as aves do céu e sobre todos os animais que rastejam pelo chão".

Observemos que Deus criou a humanidade, homem e mulher, para que estes juntos dominassem a terra. "Dominar a terra" não significa explorá-la a ponto de esgotar todos os seus recursos. Na verdade, trata-se de um domínio para a glória de Deus. Homem e mulher são colocados no jardim do Éden para cultivá-lo. A ideia é que homem e mulher reproduzissem jardins sobre a terra, enchendo a terra com mais homens e mulheres que, por sua vez, fariam mais jardins e consolidariam a perfeição da criação de Deus em todas as partes do mundo.

Acontece que em Gênesis 3, o famoso capítulo da queda da humanidade diante do pecado, Deus apresenta uma das consequências da rebeldia humana contra ele. Assim diz Deus à mulher em Gênesis 3.16: "Seu desejo será para seu marido, e ele a dominará". Ora, o que significa esse desejo para o marido e o domínio do marido em oposição?

O fraseado hebraico aqui se assemelha muito ao que é usado praticamente na passagem seguinte, em Gênesis 4.7, quando Deus diz a Caim: "O pecado está à porta, à sua espera, e deseja controlá-lo, mas é você quem deve dominá-lo". Isto é, Caim deve tomar cuidado, porque o pecado está tentando controlá-lo; o desejo do pecado é contra Caim, visa dominá-lo. Da mesma maneira que Deus diz a Eva que o desejo dela será para o marido, e o marido a dominará, ele diz a Caim que o desejo do pecado será contra ele, e ele deve dominá-lo. Desejo de um lado, domínio do outro. A ideia é que, por causa da queda, a mulher tentará dominar o homem, para que ele faça o desejo dela; e o homem, por sua vez, tentará dominar a mulher e, no final das contas, vencerá essa disputa.

Aqui se encontra a origem de todo o machismo, de toda a opressão masculina que nós vemos ao longo da história da humanidade e que continuamos a ver hoje. O homem impõe sua vontade sobre a mulher e a submete a seus próprios desejos. Essa é a consequência do pecado relatada em Gênesis 3.16.

Eis o resumo da tragédia. Em Gênesis 1, homem e mulher são colocados no paraíso para que juntos dominem a terra. Em Gênesis 3, depois da queda, depois de homem e mulher buscarem ser como Deus, eles passam a olhar o outro não mais como um ser humano em pé de igualdade, com quem compartilham a missão de dominar a terra; agora, passam a olhar para o outro como um objeto a ser dominado, como parte também deste mundo a ser dominado. Há aqui um processo de desumanização: o outro não é um igual a mim, o outro é aquilo que devo dominar. Não é com ele que dominarei a terra, mas sim sou eu, com minhas próprias forças, que dominarei a terra inteira, inclusive o outro.

Isso se torna ainda mais trágico quando essa distorção dos propósitos de Deus se manifesta no âmbito do casamento, no relacionamento conjugal entre homem e mulher. E nesse relacionamento, que deveria ser um relacionamento de desejo mútuo e de cuidado com o outro, o desejo passa a ser uma forma de egoísmo: meu desejo não está mais dentro da lógica de uma relação compartilhada; meu desejo agora é que você seja submetido a ele, eu desejo contra você.

Há um motivo pelo qual repito tanto a palavra "desejo". A palavra em hebraico *t'shuká*, "desejo", só aparece três vezes no Antigo Testamento. Duas delas se encontram nesses dois textos de Gênesis que acabamos de ler, mas a terceira ocorrência se dá justamente em Cântico dos Cânticos 7.10, quando a mulher diz: "Eu sou de meu amado, e ele me deseja". Aqui, "desejo" não aparece mais como forma de domínio do outro, mas sim numa relação de entrega mútua. Lembremos que uma expressão semelhante à dessa frase aparece outras vezes em Cântico dos Cânticos, mas nessas outras ocorrências a palavra *t'shuká* é omitida. Em Cântico dos Cânticos 2.16 e 6.3, a frase que encontramos expressa pertencimento mútuo: "Eu sou de meu amado, e meu amado é meu". Isto é, um pertence ao outro, um se entrega ao outro; não existe a tentativa de domínio do outro, não existe ninguém submetendo o outro a sua própria vontade.

Então, em Cântico dos Cânticos 7.10, o autor desse texto recupera aquela palavra antiga de Gênesis ao dizer: "Eu sou de meu amado, e ele me deseja". Nesse verso, ele refaz aquilo que deveria predominar no Éden antes da queda. O contexto geral de Cântico dos Cânticos nos possibilita enxergar melhor essa ideia. O amado e a amada estão se encontrando sempre em cenários bucólicos, em jardins e bosques, o que remete, mais uma vez, ao Éden. Esse verso, aliás, aparece logo depois de uma longa descrição do corpo desnudo da amada. E isso nos lembra que, lá no Éden, homem e mulher estavam nus e não se envergonhavam disso. Foi depois do pecado que eles começaram não apenas a querer dominar um ao outro, mas também a se cobrir de vergonha um do outro, a fim de não oferecer seu corpo ao olhar que é um olhar dominador do outro.

Aqui, porém, em Cântico dos Cânticos, o casal se vê numa relação de intimidade profunda. Estão se amando. E é nesse contexto que o desejo, aquele desejo que foi pervertido em

Gênesis 3, é redimido. Dentro do casamento, com liberdade e intimidade, o Éden perdido se refaz. Isso nos leva a uma reflexão sobre o lugar da relação sexual na vida de um homem e de uma mulher. Essa relação não foi feita para ser desfrutada na objetificação do outro. A relação sexual não é uma prática dada aos seres humanos para que submetamos o outro ao nosso desejo. Pelo contrário, o sexo deve ser celebrado em um casal que tem compromisso mútuo, um casal de pertencimento mútuo, um casal que sabe que, juntos, eles recriam o paraíso perdido.

Em uma sociedade tão sensualizada e pornificada quanto a nossa, uma sociedade em que a violência sexual é tão frequente, em que mesmo relações monogâmicas vão se tornando cada vez mais carnais e tóxicas, esse tipo de mensagem vem como um bálsamo. Coloca de volta no lugar o que é a relação sexual e o desejo sexual entre um homem e uma mulher. O sexo é uma dádiva de Deus, para ser celebrado numa relação de pertencimento mútuo, um pertencimento que se faz na fidelidade, na exclusividade, no companheirismo.

É necessário, então, resistir à lógica do domínio, à lógica da imposição do desejo sobre o outro. O casamento, segundo o que nos é revelado em Cântico dos Cânticos, é uma relação de entrega mútua, de sacrifício pessoal um pelo outro. E isso nós aprendemos quando abrimos mão dos paradigmas do primeiro Adão e observamos a vida do segundo Adão, Jesus Cristo. Jesus se entregou por sua igreja. Ele se deu pelo povo que ele ama, e essa entrega é o modelo da relação conjugal, conforme expressa o apóstolo Paulo em Efésios 5.

Assim, no casamento do pertencimento mútuo, da entrega ao outro, do "eu sou de meu amado, e meu amado é meu", se refaz toda a lógica distorcida pelo pecado. Sim, Cântico dos Cânticos versa romanticamente sobre um casal, mas o poema também recria o Éden e reapresenta toda a história da redenção por meio dessa figura de homem e de mulher. As duas coisas estão presentes nesse livro. Afinal, no casamento, conforme aprendemos com Paulo, nós reencenamos a lógica do evangelho.

O pastor Timothy Keller, ao tratar do amor romântico, disse uma frase lapidar: "O amor romântico não é o sentido da vida, mas é uma pista do sentido da vida". Aquilo que homem e mulher buscam no casamento, a segurança e um relacionamento pleno e profundo com o outro, é completado na real relação perfeita que é a relação com Deus. Uma relação em que Deus mesmo nos salva numa lógica de entrega, por meio de seu Filho que se entrega na cruz por nós. O ideal de um casamento cristão não é aquele que reconhece no outro o cumprimento de todos os sonhos de amor romântico, mas aquele em que ambos os cônjuges reconhecem em Deus a fonte do amor perfeito. E trata-se de um amor análogo ao amor que receberam de Deus, não numa lógica do domínio, mas na lógica da entrega. E assim, em Cristo, homem e mulher constroem dentro de seu lar o Éden renovado, enquanto esperam a Nova Jerusalém, esta sim perfeita e eterna.

Tudo o que eu desejo para você hoje é que a lógica da relação do evangelho se manifeste em seu casamento. E para você que não é casado mas almeja se casar um dia, que sempre esteja diante de você a busca por uma vida paradisíaca, não num lugar maravilhoso, mas numa relação que remonta ao Éden. Que, na lógica da entrega mútua, do pertencimento mútuo, seu desejo seja redimido, e que todas as tendências de objetificação e despersonalização do outro sumam numa relação verdadeiramente humanizadora, num casamento verdadeiramente divino.

13
O trono e o templo

A visão de Isaías, presente no capítulo 6 do livro do profeta, está entre as passagens mais conhecidas do Antigo Testamento. Ela é cantada, pregada, recitada, e alguns até a usam como modelo litúrgico. A cena de fato impressiona, relatando um encontro face a face entre o profeta e o Senhor em seu trono de glória:

> No ano em que o rei Uzias morreu, eu vi o Senhor. Ele estava sentado em um trono alto, e a borda de seu manto enchia o templo. Acima dele havia serafins, cada um com seis asas: com duas asas cobriam o rosto, com duas cobriam os pés e com duas voavam. Diziam em alta voz uns aos outros:
>
> > "Santo, santo, santo é o Senhor dos Exércitos;
> > toda a terra está cheia de sua glória!"
>
> Suas vozes sacudiam o templo até os alicerces, e todo o edifício estava cheio de fumaça.
>
> Então eu disse: "Estou perdido! É o meu fim, pois sou um homem de lábios impuros e vivo no meio de pessoas de lábios impuros. Meus olhos, porém, viram o Rei, o Senhor dos Exércitos!".
>
> Então um dos serafins voou em minha direção, trazendo uma brasa ardente que ele havia tirado do altar com uma tenaz.

O TRONO E O TEMPLO

Tocou meus lábios com a brasa e disse: "Veja, esta brasa tocou seus lábios. Sua culpa foi removida, e seus pecados foram perdoados".

Então ouvi o Senhor perguntar: "Quem enviarei como mensageiro a este povo? Quem irá por nós?".

E eu respondi: "Aqui estou; envia-me".

Isaías 6.1-8

A descrição espetacular da glória de Deus, adorado por serafins e enchendo o templo, não pode ofuscar a intenção do autor em localizar o evento em seu contexto histórico. "No ano em que o rei Uzias morreu" é mais do que uma curiosidade histórica. É um destaque teológico que nos ajuda a aplicar a mensagem e a visão de Deus ao tempo do profeta e ao nosso.

O rei Uzias foi um governante importante em Judá. Seu reino desfrutou de prosperidade e vitórias militares contra os filisteus. Ele fez o que era certo aos olhos do Senhor, mas não destruiu os altares dos ídolos que ainda existiam no reino (2Rs 15.3-4). A boa gestão do reino e as reformas militares aumentaram o poder de Uzias, que, confiando em si mesmo, tomou uma decisão trágica: "Quando Uzias se tornou poderoso, também se encheu de orgulho, o que o levou à ruína. Pecou contra o Senhor, seu Deus, ao entrar no santuário do templo do Senhor para queimar incenso no altar de incenso" (2Cr 26.16). A lei estabelecia a divisão das funções entre rei e sacerdotes. Só os últimos podiam oferecer sacrifícios no templo. Ao entrar no santuário para fazer oferenda de incenso, Uzias pecava gravemente contra o Senhor.

As consequências foram terríveis para o rei. Ainda no templo, seu corpo começou a ser tomado por lepra. O sacerdote

Azarias e outros que o acompanhavam expulsaram o rei do santuário, pois se tornaram evidentes o seu pecado e o juízo de Deus contra Uzias. Sua condição de saúde não melhorou mais, e ele permaneceu doente e isolado até o fim da vida: "O rei Uzias ficou leproso até o dia de sua morte. Vivia isolado, numa casa separada, e havia sido excluído do templo do Senhor. Seu filho Jotão tomava conta do palácio e governava o povo" (2Cr 26.21).

O rei que não quis ficar no trono e que invadiu o templo acabou seus dias distante do templo e do trono. Seu filho (que seria seu sucessor) governou como regente até a morte do rei por direito. Um triste fim para um governo tão promissor.

Essa história de Uzias apresenta o contraste com a visão do profeta Isaías. Reparemos nos detalhes da visão. O profeta viu, no ano da morte do rei, Deus mesmo assentado no trono. Não apenas num trono humano, mas num trono "alto", exaltado, glorioso. A visão aponta quem é o verdadeiro Rei do universo. Uzias apresentava-se como poderoso, tendo um exército grande e bem equipado. Muitos podiam depositar sua esperança em um governo que parecia tão bem-sucedido. A morte do rei poderia significar uma mudança para pior nas condições do reino. Mas Isaías viu a realidade: no ano em que o rei morreu, o trono não estava vazio. Deus mesmo reinava sobre todas as circunstâncias.

Todavia, há algo estranho nessa visão. Isaías não viu o Senhor assentado no trono que ficava no palácio. A visão apresenta Deus entronizado no templo. De fato, toda a visão se passa no santuário (ver Is 6.1,4). Notemos a ironia que só quem conhece a história de Uzias pode reconhecer: o rei que tentou usurpar o trabalho dos sacerdotes foi proibido de estar tanto no trono quanto no templo, mas o Senhor governa

O TRONO E O TEMPLO

sobre ambos os domínios. Ele é o Soberano sobre tronos e templos. Nenhum rei ou sacerdote pode usurpar sua glória que enche toda a terra.

Na história humana, muitos governantes tentaram submeter a religião e o discurso religioso a seus propósitos políticos. Isso acontecia nas teocracias do mundo antigo e continua a acontecer mesmo hoje, nas democracias modernas. A história de Uzias mostra como Deus se opõe a essa atitude. O Senhor não é servo das intenções políticas dos homens. São estes que devem prestar contas ao verdadeiro Rei.

É necessário que tenhamos coragem para enfrentar poderes que tentem usurpar o nome e a Palavra de Deus para seu próprio engrandecimento. Na história de Uzias, o sacerdote Azarias foi quem resistiu ao rei.

O sacerdote Azarias foi atrás dele com outros oitenta sacerdotes do Senhor, todos homens corajosos. Confrontaram o rei Uzias e disseram: "Não cabe a você, Uzias, queimar incenso ao Senhor. Isso é tarefa somente dos sacerdotes, os descendentes de Arão, consagrados para esse trabalho. Saia do santuário, pois você pecou. O Senhor Deus não o honrará".

2Crônicas 26.17-18

Posturas corajosas como a de Azarias e seus companheiros não têm sido muito comuns no Brasil de hoje. Lideranças eclesiásticas não repreendem o mau uso que políticos fazem das coisas sagradas. Pelo contrário, tomam essas atitudes como exercício da vontade de Deus e emprestam suas vozes para conduzir seu rebanho a currais eleitorais. Se não nos arrependermos, o juízo de Deus recairá sobre nós.

Os contrastes entre a história de Uzias e a visão de Isaías não param por aí. Ao narrar a queda do rei, o cronista diz:

123

"Quando Uzias se tornou poderoso, também se encheu de orgulho, o que o levou à ruína" (2Cr 26.16). Poder, orgulho e ruína. Essa sequência não é exclusiva dessa passagem. De Saul a Herodes, a Bíblia está cheia de exemplos de governantes que adquiriram muito poder, tornaram-se orgulhosos e, depois, experimentaram terrível queda.

A experiência de Isaías não o tornou orgulhoso. Pelo contrário, ao ver o Senhor no templo ele é tomado por imenso pavor: "Estou perdido! É o meu fim, pois sou um homem de lábios impuros e vivo no meio de pessoas de lábios impuros. Meus olhos, porém, viram o Rei, o Senhor dos Exércitos!". A santidade de Deus expôs a indignidade do profeta e de toda a humanidade ao redor dele. É interessante que Isaías não apenas se reconhece como pecador, mas reconhece que não é diferente dos demais. Muitas vezes, mesmo sabendo que somos imperfeitos diante de Deus, julgamos que somos melhores do que os outros ou do que a média das pessoas. Sempre nos julgamos especiais e, por isso, merecedores de uma vida melhor em relação ao próximo. Diante da santidade de Deus, porém, nossas diferenças morais são desprezíveis. Deus é tão mais santo que nós que é inútil ficarmos pensando quem é o "menos pior". A visão de Deus acaba com nosso orgulho em relação ao próximo.

O Novo Testamento persiste nesse caminho de unidade em humildade. Em Romanos, Paulo endereça sua carta a uma comunidade dividida entre judeus e gentios. Para pôr fim à divisão, o apóstolo não escolhe o caminho da valorização das diferenças. Ele escolhe mostrar como todos são, igualmente, pecadores e indignos. Tendo argumentado a fundo sobre a corrupção de gentios sem lei e judeus observadores da Torá, ele conclui: "Pois todos pecaram e não alcançam o padrão da glória de Deus" (Rm 3.23). E completa:

> Podemos então nos vangloriar de ter feito algo para sermos aceitos por Deus? Não, pois nossa absolvição não vem pela obediência à lei, mas pela fé. Portanto, somos declarados justos por meio da fé, e não pela obediência à lei.
> Afinal, Deus é Deus apenas dos judeus? Não é também Deus dos gentios? Claro que sim! Existe um só Deus, e ele declara justos tanto judeus como gentios somente pela fé.
>
> Romanos 3.27-30

Não podemos fazer coisa alguma para nos salvar. Estamos tão perdidos como qualquer outro. Contudo, por crermos em um Deus justificador, não somos igualados apenas em nossa miséria, mas também na graça desse Senhor que é Deus tanto de gentios como de judeus.

Isaías experimentou essa graça. Após temer por sua vida, o profeta tem seus pecados perdoados quando um serafim lhe toca a boca com uma brasa tirada do altar. Essa figura é especial. Na Torá, a Lei de Moisés, quando algo impuro tocava algo ou alguém puro, este acabava contaminado com a impureza daquele. Não existe "transmissão de pureza" na lei. Apenas a corrupção é transmitida. Mas, aqui em Isaías 6, anuncia-se uma outra era da história humana, em que aquele que é puro purificará as impurezas por seu toque. Nos Evangelhos vemos Jesus tocando doentes e até cadáveres e dando-lhes de volta saúde e vida. Ele não se tornava impuro ao tocar as impurezas, mas purificava os impuros por seu toque. Da mesma forma, ao nos encontrarmos com um Deus santo e temermos por nossa vida pecaminosa, podemos confiar na graça eterna de

Jesus, que com seu toque nos purifica de nossos pecados e nos torna aptos para habitarmos na presença de Deus.

Uzias entrou no templo por orgulho e saiu de lá impuro com lepra. Isaías entrou no tempo humilhado e saiu de lá purificado de seus pecados. Que sigamos o exemplo do profeta humilde e não o do rei orgulhoso.

14
Orando em segredo

Um dos chamados livros proféticos do Antigo Testamento, o livro de Daniel se passa todo no período do exílio, na época em que o povo de Judá havia sido levado para o cativeiro na Babilônia. Daniel foi um dos jovens levados para a Babilônia pelo rei Nabucodonosor. Ali ele passa grande parte de sua vida, primeiro sob o reinado de Nabucodonosor, depois sob o reinado de Belsazar, e finalmente sob o reinado de Dario, o rei da Pérsia que conquistou toda a Mesopotâmia, incluindo a Babilônia.

Em todos esses reinados, Daniel exerce papel de destaque. Agraciado com posições elevadas no governo, é tido como um homem sábio, capaz não apenas de oferecer bons conselhos administrativos, mas também de revelar oráculos a respeito de coisas misteriosas de Deus. Além do mais, demonstra em todo o livro admirável fidelidade a Deus, mesmo estando distante de sua terra, do templo, de toda a estrutura religiosa e sacerdotal de Judá, em meio a um povo estrangeiro.

Vários episódios no livro apontam para essa fidelidade de Daniel. O primeiro deles se dá logo no início do livro, quando o rei ordena que dentre os judeus sejam escolhidos "rapazes saudáveis e de boa aparência, que sejam instruídos em

PALAVRAS QUE TRANSFORMAM

diversas áreas do conhecimento, que tenham entendimento e bom senso e sejam capacitados para servir no palácio real" (Dn 1.4). Daniel e seus amigos são escolhidos dentre os cativos, mas quando lhes dão os alimentos que eram servidos nas cozinhas do rei, alimentos proibidos pela lei de Moisés, eles se recusam a comer. Pedem para tomar apenas água e comer apenas legumes em vez de beber o vinho e comer a carne com que o próprio rei se alimentava.

Essa determinação pode parecer algo simples para nós, acostumados que estamos com a fartura e a variedade de alimentos. Naquele tempo, porém, tratava-se de uma oportunidade incomparável: desfrutar da mesa de um dos homens mais poderosos de seu tempo. É como se estivéssemos num banquete junto com alguns bilionários de nosso planeta, diante de alimentos que nunca sequer provamos, e disséssemos: "Não, não vou comer, pois sou fiel a Deus. Quero apenas um pouco de alface e tomate e beber um copo d'água". É esse tipo de decisão que Daniel e seus amigos tomam no início do livro, e o Senhor os recompensa por essa atitude: "Passados os dez dias, Daniel e seus três amigos pareciam mais saudáveis e bem nutridos que os outros rapazes que se alimentavam da comida do rei" (Dn 1.15).

Há muita confusão acerca desse episódio nas pregações de hoje. Fala-se sobre o jejum de Daniel, sobre comer apenas aquilo que Daniel comeu, como se fosse o alimento em si o responsável por ter feito Daniel e seus amigos mais saudáveis que os demais. Mas não é esse o ensinamento do texto bíblico. O texto se refere à fidelidade à aliança com Deus, que de fato incluía as regras dietéticas da lei. O ponto a se destacar é que, mesmo na Babilônia, distantes de qualquer tipo de controle religioso como o exercido pelo templo em Jerusalém,

ORANDO EM SEGREDO

Daniel e seus amigos permaneceram fiéis a Deus e à vontade divina expressa na lei de Moisés.

Na sequência do relato, em Daniel 2, o rei tem um sonho e pede que seus magos decifrem o significado. Acontece que o rei, astutamente, não lhes conta qual foi esse sonho, como se dissesse: "Vocês não são magos? Adivinhem então qual é o sonho!". Nenhum deles consegue fazê-lo, até que entra em cena Daniel, que não apenas relata o que o rei sonhou, mas também lhe dá uma interpretação.

No sonho, o rei deparou com uma estátua formada por diferentes materiais, cada um deles significando um reino sucessivo. A cabeça de ouro da estátua simbolizava o reinado do próprio Nabucodonosor. Toda aquela estátua imensa e imponente, contudo, seria destruída por uma pequena pedra que se soltaria de uma montanha, sem ajuda de mãos de homens. Com isso a estátua seria despedaçada, e essa pedra cresceria até se tornar uma grande montanha que cobriria toda a terra.

O que Daniel está dizendo é que todos os imperadores da terra, todos os homens poderosos orgulhosos de sua posição, seriam destruídos pelo poder de um novo reino. E não se tratava de um reino erigido por mãos humanas, mas sim do reino do próprio Deus, um reino que encheria a terra e dispersaria esses famosos imperadores como poeira no vento.

Imaginemos a cena: um escravo, dominado por um império, vai até o rei que o domina e lhe diz: "Seu reino, e todos os outros reinos deste mundo, serão destruídos pelo meu Deus". Foi essa a coragem e a fidelidade de Daniel naquele momento. E o rei, abismado diante do fato de que Daniel sabia até o que ele havia sonhado, reconhece a grandeza do Deus de Israel. E mais: "O rei colocou Daniel em um cargo

129

elevado e lhe deu muitos presentes valiosos. Nomeou-o governador de toda a província da Babilônia e chefe de todos os sábios" (Dn 2.48).

Esses relatos nos preparam para o capítulo 6 do livro, o episódio em que a determinação de Daniel de ser fiel a Deus mais se destaca.

A essa altura, o rei persa Dario governa o império. Daniel e outros dois homens são escolhidos como seus administradores imediatos, que supervisionariam os funcionários responsáveis pelas 120 províncias do reino. Daniel se sobressai de tal modo que acaba sendo colocado pelo próprio imperador acima dos outros dois administradores. Ou seja, passou a ser o segundo homem mais importante de todo o império.

A inveja dos persas que foram preteridos levou-os a conspirar contra Daniel. Tentam apanhá-lo em algum tipo de corrupção, mas não obtêm sucesso, pois Daniel age com retidão em tudo o que faz. Então, cientes dos conflitos de Daniel com o rei anterior por causa de sua fidelidade ao Deus de Israel, concluem: "Nossa única chance de encontrar algum motivo para acusar Daniel será em relação às leis de seu Deus" (Dn 6.5). Um plano é tramado para derrubá-lo de sua posição.

Então os administradores e os altos funcionários foram até o rei e lhe disseram: "Que o rei Dario viva para sempre! Nós administradores, oficiais, altos funcionários, conselheiros e governadores estamos todos de acordo que o rei deve decretar uma lei a ser cumprida rigorosamente. Dê ordens para que, nos próximos trinta dias, qualquer pessoa que orar a alguém, divino ou humano, exceto ao rei, seja lançada na cova dos leões. Agora, ó rei, decrete e assine essa lei para que não possa ser mudada, como lei oficial dos medos e dos persas, que não pode ser revogada". E o rei Dario assinou a lei.

Daniel 6.6-9

Daniel se vê claramente diante de um problema. Afinal, ele não poderia abrir mão de sua prática de oração, de seu relacionamento com Deus. Como ele reagiria ao decreto do rei?

Quando Daniel soube que a lei tinha sido assinada, foi para casa e, como de costume, ajoelhou-se no quarto no andar de cima, com as janelas abertas na direção de Jerusalém. Orava três vezes por dia e dava graças a seu Deus.

Daniel 6.10

Acredito que reside nisso o segredo da fidelidade de Daniel. Observemos que Daniel não ascendeu politicamente porque era astuto, nem porque era bajulador de autoridades. Na verdade, ele entrou repetidas vezes em conflito com cada um dos reis que haviam governado nesse período do exílio. E, ainda assim, ele sempre se destacou. Isso porque reconhecia quem era a real autoridade sobre toda a terra: o Deus de Israel.

O relato nos diz que Daniel orava três vezes ao dia, no quarto, no andar de cima, com as janelas abertas, para Jerusalém. Algumas pessoas entendem que Daniel abriu essas janelas para mostrar a todos que estava orando, desafiando abertamente o decreto do rei. Não parece ser o caso: se Daniel queria mostrar que estava orando a Deus no intuito de desafiar outras pessoas, era mais fácil orar na sala do trono, na própria presença do rei, à qual tinha acesso. Ele não visava ostentar sua espiritualidade. Ele vai para o quarto a fim de falar com Deus. Para Daniel, não importa que as pessoas, os altos funcionários ou mesmo o imperador o estejam vendo. Para ele, importa que Deus o esteja vendo. Na oração, ele se apresenta diante do verdadeiro e único Rei sobre toda a terra.

Mas por que, então, abrir as janelas? Se ele não abria as janelas para ser visto, por que é que as abria? A questão não é que as janelas estivessem abertas, mas sim para onde elas estavam apontando: Jerusalém. Isso é uma informação de suma importância. Em Jerusalém ficava o templo, e é no templo que se ofereciam os sacrifícios de oração a Deus. No entanto, no período do exílio, não havia mais sacrifícios no templo, que já não tinha condições de receber cerimônias religiosas. Ainda assim, Daniel olha para Jerusalém como quem está se voltando para Deus. Ele está diante de Jerusalém, pensando na mediação sacerdotal no templo, pensando na presença de Deus na terra. É como se ele dissesse: "Não estou orando para um deus qualquer, não estou me ajoelhando para alguma autoridade persa. Estou me ajoelhando diante do Deus de Israel, voltado para o templo desse Deus, porque é por ali que a oração passa para chegar até seu trono de graça".

Além disso, Daniel também ora com as janelas abertas na direção de Jerusalém devido à expectativa de retorno para sua terra. Já havia, naquele tempo, um escrito do profeta Jeremias dizendo que o povo ficaria setenta anos no exílio e depois regressaria. Daniel conhecia esse escrito e aguardava com expectativa o dia de voltar para Jerusalém.

Em certo sentido, todas as nossas orações se assemelham à de Daniel. Todas as nossas orações são orações voltadas para Jerusalém. Todas as vezes que nos ajoelhamos, todas as vezes que fechamos os olhos e clamamos ao Senhor, estamos olhando para Jerusalém. É em Jerusalém que nosso mediador estabeleceu nosso contato com Deus. O templo, que antes era o símbolo dessa presença, foi tomado pelo poder de Deus quando Jesus foi crucificado, e o véu que separava o lugar santíssimo do lugar santo foi rasgado, mostrando que agora, por causa da mediação do crucificado, temos acesso direto ao Pai.

Oramos voltados para Jerusalém não porque lá reside o templo físico, mas porque lá houve a cruz. E é por causa da cruz de Jerusalém que oramos a Deus, o Pai de nosso Senhor Jesus Cristo. É por meio da cruz que nossas orações chegam a Deus. É pelo sacerdócio do Filho que o Pai conhece nossos pedidos. Mesmo de janelas fechadas, dentro do carro, andando na rua, virados para o sul, para o norte, para qualquer lugar, sempre estamos voltados para a cruz de Jerusalém em oração, porque é por ali que nossa oração chega ao trono de Deus.

Mas também oramos voltados para Jerusalém porque ansiamos, assim como Daniel, ir para Jerusalém. Não é a Jerusalém de hoje, capital do estado de Israel. Refiro-me à Nova Jerusalém, aquela que ansiamos que venha ao nosso encontro, a Jerusalém que desce do céu. Se Daniel estava na Babilônia orando, ansiando pelo encontro com sua Jerusalém, pela liberdade que esse retorno significaria, nós também ansiamos pela Nova Jerusalém, que nos livrará de todos esses impérios de poder, sejam governos humanos, sejam as potestades que nos oprimem no mundo de hoje com maldade e trevas.

É por isso que Daniel, usando suas próprias palavras, estava expressando em oração basicamente a mesma oração que aprendemos de Jesus, o clamor de todo crente a Deus: "Venha o teu reino".

Nas Babilônias em que vivemos hoje, tão distantes da Jerusalém celestial, todas as nossas orações por justiça são "venha o teu reino". Toda oração pelo fim da dor, do sofrimento, da doença, da desavença é uma oração que clama "venha o teu reino". Cada vez que suplicamos ao Senhor que se faça presente na realidade em que vivemos, estamos pedindo "venha o teu reino". Daniel olhava para Jerusalém, e nós olhamos para Jerusalém em oração. Daniel sabia da mediação do sacrifício em Jerusalém, e nós sabemos da mediação da cruz de Jerusalém. Daniel clamava pelo encontro com Jerusalém, e nós clamamos: "Venha o teu reino, venha a Jerusalém que desce do céu".

Nosso desafio, hoje, é imitar o estilo de vida e de oração de Daniel. Quando não nos ajoelhamos diante do verdadeiro Rei do universo, somos cooptados pelos poderes deste mundo. Daniel mostrou que não precisamos de grandes exércitos para realizar uma revolução. Precisamos de joelhos no chão. Pessoas dentro do próprio quarto em secreto, ajoelhadas diante do Senhor, formam juntas uma subversão dos malignos poderes presentes. Daniel sabia disso, e nós também sabemos. Não há imperador que nos assuste, não há cova de leões que nos ponha medo.

Desconfio que se fala tanto hoje do "jejum de Daniel" porque é muito mais fácil copiar o que Daniel comia do que copiar seu regime de oração. Portanto, oremos mais. Busquemos uma espiritualidade genuína, busquemos o Senhor em oração como quem olha para Jerusalém. E, diante de todos os poderes malignos e de todas as coisas que nos amedrontam nesta vida, clamemos com coragem: "Venha o teu reino".

15

Setenta vezes sete

O Evangelho de Mateus é o primeiro livro do Novo Testamento. Já no início, apresenta Jesus Cristo como o descendente da linhagem de Davi e de Abraão. A exemplo dos outros três evangelhos, Mateus se preocupa em contar a história de Jesus Cristo, e o faz de modo a ressaltar os aspectos judaicos de Jesus, porque Mateus é um judeu dirigindo-se ao povo judeu. Assim, o Jesus descrito por Mateus é o libertador do povo de Deus, uma espécie de novo e perfeito Moisés.

São nítidos alguns paralelos com Moisés. Em Mateus, Jesus nasce em circunstâncias difíceis. O rei Herodes, assim como o faraó em Êxodo, promove a morte de muitas crianças. Jesus, assim como Moisés, consegue escapar. Quando retorna, anos depois, inicia seu ministério de libertação do povo e, em determinado momento, expressa a lei de Deus sobre um monte. Todos esses elementos do Antigo e do Novo Testamento guardam muita semelhança entre si. No Evangelho de Mateus, portanto, Jesus é retratado como aquele que dá continuidade e concretização ao ministério de Moisés.

Juntamente com Marcos e Lucas, Mateus compõe o grupo dos assim chamados evangelhos sinóticos. Esses três evangelhos recebem esse nome por terem uma mesma ótica, uma mesma forma de ver as coisas. Narram a história de Jesus de maneira parecida, distinta em alguns aspectos da do Evangelho de João. São preocupações teológicas semelhantes, linguagem parecida, até textos inteiros praticamente idênticos. E algo que se destaca nos evangelhos sinóticos é a centralidade do tema do reino de Deus na pregação de Jesus Cristo. Porém, enquanto Marcos e Lucas usam frequentemente a expressão "reino de Deus", Mateus opta também por "reino dos céus". A explicação mais plausível é que, tendo em vista sua audiência judaica, Mateus evita usar repetidamente o nome de Deus. "Céus", portanto, funciona como um eufemismo para indicar a procedência do reino.

E por que o tema do reino de Deus é tão importante para os autores dos evangelhos? Desde o Éden, os seres humanos adotaram uma postura de rebeldia contra Deus, uma negação de sua soberania, de seu reinado sobre a vida humana e a criação. Assim, de Gênesis a Apocalipse, a Bíblia relata como Deus realiza um processo de reconciliação, no intuito de recolocar as coisas em seu devido lugar. Isto é, os seres humanos amados por Deus em seu lugar de seres humanos, à imagem de Deus e submissos a ele, para a glória de Deus e para o bem da própria humanidade; e Deus no lugar que é dele também, no trono sobre a humanidade e a criação, um lugar de autoridade, de governo, de reino. Essa é a história que vem sendo contada ao longo de toda a Bíblia e que, em Jesus, alcança seu ápice.

Jesus inicia seu ministério declarando que o reino está próximo, ou melhor, que o reino já chegou. É nesse processo de falar do reino de Deus que ele expõe seu célebre Sermão do Monte.

SETENTA VEZES SETE

Talvez o Sermão do Monte contenha os ensinos mais conhecidos de Jesus. À primeira vista, parece tratar-se de uma série de conselhos piedosos para a vida: dar a outra face, não buscar vingança, evitar o olhar lascivo, não andar ansioso, confiar na provisão de Deus, e assim por diante. Em geral, portanto, pensamos no Sermão do Monte como um amontoado de bons conselhos que deveríamos aplicar a nossa vida.

Trata-se, porém, de muito mais do que isso. O texto de Mateus 5—8 postula, sobretudo, um desafio aos limites de nossa moral, evidenciando quanto erramos em nossa prática cotidiana. No Sermão Jesus mostra como todos nós, de um jeito ou de outro, somos hipócritas; como todos nós, de um jeito ou de outro, estamos condenados pela lei de Deus. Se lermos o Sermão do Monte sob a perspectiva de que se trata da lei de Deus, ficaremos profundamente abalados pelo fato de que não conseguimos cumprir toda a lei. Se o Sermão do Monte fosse nosso código penal, estaríamos todos condenados. E, segundo o próprio Sermão do Monte, não estaríamos condenados a uma prisão meramente. Estaríamos condenados à morte.

O Sermão do Monte não é, portanto, uma mera coleção de bons conselhos. É uma lei que nos mostra quão imperfeitos somos. Jesus destaca os aspectos exteriores da lei que até podemos cumprir, como, por exemplo, não matar, mas volta-os para dentro, dizendo: "Quando você se ira com aquela pessoa, quando a odeia, você já a matou em seu coração". Ele toma o adultério, um ato exterior, e o devolve para o íntimo: "O adultério não está no exercício da sexualidade com uma pessoa que não é sua esposa. O adultério está no coração dominado pelo desejo lascivo". Em suma, o Sermão do Monte não nos deixa escapatória. Se estivéssemos diante de Jesus e

137

ele nos pregasse esse sermão hoje, provavelmente diríamos ao final: "Senhor, quem então pode ser salvo? Como alguém pode escapar da ira de Deus? Ninguém consegue cumprir uma regra moral dessa dimensão". A conclusão é que somos culpados e, portanto, carecemos de perdão.

Jesus Cristo não é um mestre moral que se apresenta para nós no intuito de que o sigamos pura e simplesmente. Jesus Cristo é o próprio perdão de Deus para nós. Por seu perdão e por seu amor, ele nos constrange a viver em retidão. Ele não nos impulsiona à retidão porque precisamos cumprir uma tarefa de modo a sermos aprovados. Ele é aquele que já nos aprovou e que, por isso, nos chama para caminhar com ele numa vida santa.

Aqui se encontra a conexão entre o evangelho e o reino de Deus. Para restabelecer a comunhão conosco, para restabelecer um relacionamento de justiça com seres humanos pecadores, Deus se dispõe a perdoar. Ele não precisava fazer isso; afinal, o pecado é a rebeldia contra a sabedoria divina que sustenta todas as coisas, e isso é terrível. Somos dignos de morrer, de ser despedaçados, destruídos. Ainda assim, Deus nos ama e quer um relacionamento conosco. A história do evangelho, portanto, não é a história de um novo conselho que Deus dá, mas sim a história do perdão de Deus, no qual ele nos chama para seu reino, em que tudo se encontra em seu devido lugar: ele reinando sobre nós, e nós vivendo para a glória dele, em comunhão com ele e uns com os outros.

Com base nesse entendimento do Sermão do Monte, compreendemos melhor outro trecho famoso do Evangelho de Mateus. Trata-se da organização da igreja, em Mateus 18. Jesus descreve como a igreja deve estabelecer sua disciplina e promover a edificação mútua, confrontando o irmão que

SETENTA VEZES SETE

pecou a fim de recuperá-lo. É então que Pedro se aproxima de Jesus e lhe faz uma pergunta: "Senhor, quantas vezes devo perdoar alguém que peca contra mim? Sete vezes?". A resposta de Jesus: "Não sete vezes, mas setenta vezes sete" (Mt 18.21-22).

Na sequência, Jesus conta uma parábola:

Portanto, o reino dos céus pode ser comparado a um senhor que decidiu pôr em dia as contas com os servos que lhe deviam. No decorrer do processo, trouxeram diante dele um servo que lhe devia sessenta milhões de moedas. Uma vez que o homem não tinha como pagar, o senhor ordenou que ele, sua esposa, seus filhos e todos os seus bens fossem vendidos para quitar a dívida.

O homem se curvou diante do senhor e suplicou: "Por favor, tenha paciência comigo, e eu pagarei tudo". O senhor teve compaixão dele, soltou-o e perdoou-lhe a dívida.

No entanto, quando o servo saiu da presença do senhor, foi procurar outro servo que trabalhava com ele e que lhe devia cem moedas de prata. Agarrou-o pelo pescoço e exigiu que ele pagasse de imediato.

O servo se curvou diante dele e suplicou: "Tenha paciência comigo, e eu pagarei tudo". O credor, porém, não estava disposto a esperar. Mandou que o homem fosse lançado na prisão até que tivesse pago toda a dívida.

Quando outros servos, companheiros dele, viram isso, ficaram muito tristes. Foram ao senhor e lhe contaram tudo que havia acontecido. Então o senhor chamou o homem cuja dívida ele havia perdoado e disse: "Servo mau! Eu perdoei sua imensa dívida porque você me implorou. Acaso não devia ter misericórdia de seu companheiro, como tive misericórdia de você?". E, irado, o senhor mandou o homem à prisão para ser torturado até que lhe pagasse toda a dívida.

Assim também meu Pai celestial fará com vocês caso se recusem a perdoar de coração a seus irmãos".

Mateus 18.23-35

Pedro havia acabado de ouvir de Jesus um ensinamento sobre disciplina eclesiástica: se o irmão pecar contra você, vá até ele e procure ganhá-lo, e se ele não o ouvir, leve uma testemunha, depois leve a questão à igreja, e assim por diante. Ao que parece, Pedro ouviu esse ensinamento e não cogitou a possibilidade de ele próprio necessitar de perdão. Não pensou no papel que a igreja promoveria na vida daquele pecador ao trazê-lo de volta para a comunhão. Só pensou em quantas vezes ele teria de perdoar seu irmão.

Quando Jesus lhe diz que ele deve perdoar setenta vezes sete, não se trata de um número limite, como se dissesse: "São 490 vezes, isto é, quando estiver perto desse número, já pode se preparar para não perdoar mais". Não é isso. O que Jesus está querendo dizer é: "Você não tem de se enxergar no papel do credor da parábola. Uma vez que o Sermão do Monte lhe mostrou seu pecado, uma vez que apesar de seu pecado você recebeu de mim o perdão, você deve entender que não é o credor dessa história. Você é o devedor. E é um devedor perdoado, por isso não deve se colocar no papel de credor, porque se você se colocar no papel de credor, você está se colocando no papel de Deus mesmo".

De fato, colocar-se no papel de Deus é o primeiro pecado. É o pecado de Adão e Eva, o desejo de ser como Deus, de sentar-se no trono de Deus, a fim de discernir o bem e o mal. Colocar-se no papel de credor é arrogar-se o papel de rei e juiz, aquele que detém a lei e decreta a condenação ou o perdão. E isso é uma mentira. O Rei é Deus. Ele é que está sentado no trono.

Perdoar o próximo, portanto, é também uma forma de exaltar a Deus. Por essa razão Jesus diz que não podemos levar ofertas para Deus se temos problemas com nosso irmão. Se ainda tenho problemas com meu irmão, não estou colocando Deus no trono. De nada adianta eu ir até o Senhor e levar-lhe uma oferta: primeiro preciso acertar as coisas com meu irmão, perdoá-lo, pedir perdão, para que juntos reconheçamos que não somos credores um do outro, mas sim perdoados por Deus e, portanto, podemos seguir juntos para adorá-lo. Não faz sentido dizer-se parte do reino de Deus e não perdoar.

E é por isso que nos soa tão dura a palavra de Jesus no Sermão do Monte, ao ensinar os discípulos a orar. Na Oração do Pai Nosso, Jesus diz: "Perdoa nossas dívidas, assim como perdoamos os nossos devedores", e depois, ao fim da oração, ele alerta: "Seu Pai celestial os perdoará se perdoarem aqueles que pecam contra vocês. Mas, se vocês se recusarem a perdoar os outros, seu Pai não perdoará seus pecados" (Mt 6.12,14). Aquele que se encontra na posição de devedor perdoado não pode querer sentar-se no trono do credor. Se alguém se senta no trono do credor, está dizendo que não faz parte desse reino de perdão, que não reconhece o perdão que recebeu. E se não crê no perdão que recebeu, também não será perdoado. Crer no perdão de Deus nos leva automaticamente a perdoar o outro, porque o reino de Deus é um reino de perdão.

Gosto de pensar que o perdão no reino de Deus é como um idioma. É o idioma do reino de Deus. Tudo o que falamos, todas as nossas interações, toda a edificação que geramos na vida um do outro, enfim, toda a nossa linguagem é mediada pelo perdão de Deus. Todas as nossas relações só existem porque Deus nos perdoou, e todo o nosso louvor a Deus só existe porque Deus nos perdoou primeiro, nos amou nos perdoando e então o amamos de volta em retribuição.

Não passemos este dia sem caminhar na direção do perdão. Se você tem algum problema com um irmão, com um membro da família ou com uma pessoa próxima, caminhe para a reconciliação, porque Deus, em Jesus Cristo, caminhou em nossa direção para a reconciliação. E a distância entre Deus e nós era muito maior que a distância entre você e uma outra pessoa. Vivamos, portanto, a realidade do reino expressando o perdão, porque o perdão é o idioma do reino de Deus.

16

O verdadeiro serviço

Marcos é o mais breve dos quatro evangelhos do Novo Testamento. É também o mais direto, com predomínio narrativo, destacando mais os atos que as palavras de Jesus. É claro que ensinamentos e parábolas aparecem em Marcos, mas não há aqui nada que se compare com os grandes sermões e a série de parábolas que vemos em Mateus ou em Lucas, e nada que se assemelhe à estrutura teológica sobre a qual João é redigido. O foco de Marcos são as ações de Jesus, os milagres e exorcismos que ele opera no meio do povo.

Outra diferença em relação aos demais evangelhos é que Marcos inicia seu relato com Jesus já adulto. Diferentemente de Mateus e Lucas, Marcos não narra o nascimento de Jesus, e diferentemente de João, não apresenta nenhum preâmbulo do Cristo pré-existente. Em vez disso, começa com o ministério de João Batista no deserto, e na sequência já emenda o início do ministério de Jesus. Tudo é muito rápido, como se o autor estivesse com pressa.

Creio ser possível dividir o Evangelho de Marcos em duas partes. Na primeira, entre os capítulos 1 e 10, o autor concentra-se nas ações do ministério terreno de Jesus, começando na Galileia e atravessando todo o caminho até chegar a Jerusalém, à medida que vai realizando milagres, curando enfermos e expulsando demônios. Quando chega a segunda parte, a entrada de Jesus em Jerusalém, interrompem-se as curas, os milagres, os exorcismos, e tem início a narrativa da paixão de Cristo, sua morte, crucificação e ressurreição.

Entre essas duas seções encontramos um versículo que poderia muito bem resumir o conteúdo de ambas as partes. Trata-se de Marcos 10.45: "Pois nem mesmo o Filho do Homem veio para ser servido, mas para servir e dar sua vida em resgate por muitos". Nesse evangelho, portanto, a Palavra de Deus nos apresenta Jesus Cristo como aquele que nos ensina por meio de sua atitude de servir e de dar sua vida. Obviamente, "dar a vida", aqui, é mais que meramente um ensino para nós, é a própria ação de Deus de nos perdoar e nos reconciliar com ele. Mas, no contexto dessa passagem, vemos que Jesus está oferecendo aos discípulos um exemplo sobre o serviço. Leiamos a passagem completa:

Então Tiago e João, filhos de Zebedeu, vieram e falaram com ele: "Mestre, queremos que nos faça um favor".

"Que favor é esse?", perguntou ele.

Eles responderam: "Quando o senhor se sentar em seu trono glorioso, queremos nos sentar em lugares de honra ao seu lado, um à sua direita e outro à sua esquerda".

Jesus lhes disse: "Vocês não sabem o que estão pedindo! São capazes de beber do cálice que beberei? São capazes de ser batizados com o batismo com que serei batizado?".

"Somos!", responderam eles.

Então Jesus disse: "De fato, vocês beberão do meu cálice e serão batizados com o meu batismo. Não cabe a mim, no entanto, dizer quem se sentará à minha direita ou à minha esquerda. Esses lugares serão daqueles para quem eles foram preparados".

O VERDADEIRO SERVIÇO

Quando os outros dez discípulos ouviram o que Tiago e João haviam pedido, ficaram indignados. Então Jesus os reuniu e disse: "Vocês sabem que os que são considerados líderes neste mundo têm poder sobre o povo, e que os oficiais exercem sua autoridade sobre os súditos. Entre vocês, porém, será diferente. Quem quiser ser o líder entre vocês, que seja servo, e quem quiser ser o primeiro entre vocês, que se torne escravo de todos. Pois nem mesmo o Filho do Homem veio para ser servido, mas para servir e dar sua vida em resgate por muitos".

Marcos 10.35-45

Exatamente na passagem anterior, Jesus tinha dito aos discípulos o que iria lhe acontecer em Jerusalém: seria entregue aos sacerdotes e aos mestres da lei, seria condenado e entregue aos gentios, e seria objeto de zombaria, cuspes, açoites, e morto. E, mesmo tendo dito tudo isso, Tiago e João, os dois irmãos, filhos de Zebedeu, vão até o Mestre e lhe dizem que querem sentar-se ao lado dele, um à direita e um à esquerda, quando Jesus estivesse em seu trono de honra.

A resposta de Jesus é lhes questionar: "Vocês são capazes de beber do cálice que eu vou beber?". Que cálice era esse? O cálice do sofrimento, o cálice do martírio. "Vocês podem ir comigo até onde eu vou? Podem viver o que vou viver e morrer pelo que vou morrer?" Eles replicam que sim, que podem fazê-lo. Estão seguros de que podem deixar tudo para trás e seguir o Mestre, mesmo que isso requeresse deles seu sangue. Jesus então lhes diz que de fato eles beberão desse cálice, mas os lugares de honra à sua direita ou à sua esquerda só serão concedidos àqueles para quem eles foram preparados. Isso leva os discípulos a iniciarem uma discussão sobre quem deles seria digno de ocupar tais lugares de honra. É nesse momento que Jesus lhes ensina algo de extrema importância.

Na vida cristã, na caminhada do reino de Deus, não devemos ter como objetivo ocupar os tronos deste mundo. Antes, quem almeja viver como mestre deve se fazer servo de todos, porque é isso exatamente o que o Mestre fez. Aquele que deseja ser o primeiro deve ser o último, deve servir aos outros, deve se colocar na posição mais humilde, porque é isso o que o verdadeiro Primeiro, nosso Senhor Jesus Cristo, fez por todos nós. Ele entregou sua vida e se fez servo para a humanidade.

Jesus tece uma comparação com os domínios deste mundo, nos quais aqueles que são tidos como líderes exercem seu poder e sua autoridade sobre os demais. Entre seus discípulos, porém, será diferente. Quem quiser ser o líder no meio deles, que seja o servo. É um contraste gritante com as organizações hierárquicas prevalentes neste nosso mundo. Hoje em dia, as pessoas que detêm o poder, que dominam os rumos da sociedade, são as que se colocam em primeiro lugar. Nós cristãos, porém, não visamos esse lugar de domínio sobre os outros. Pelo contrário, somos seguidores do Senhor que se fez servo e, portanto, devemos ser também servos dos demais. Jesus Cristo é aquele que veio para servir e dar sua vida em resgate de muitos, e nós anunciamos esse resgate promovido por Jesus mostrando às pessoas como ele viveu neste mundo, como ele morreu e como ele agora reina. Porque é dessa forma que vivemos: submetidos ao outro, servindo o outro, entregando a vida ao outro por amor.

Não pode haver negação maior da vocação da igreja do que ela acreditar que deve se apossar dos tronos deste mundo, imaginando ser esse o objetivo de nosso Senhor Jesus. Foi ele mesmo que disse não ser deste mundo o seu reino.

O VERDADEIRO SERVIÇO

Seu desafio para nós é o de viver uma vida de serviço. Como poderíamos, então, correr atrás de posições de liderança que nem mesmo nosso Senhor ocupou? Como poderíamos depositar nossa esperança nos tronos deste mundo, sendo que o próprio Jesus renegou esses tronos a fim de assumir o trono celeste? E, afinal, quem é que reina sobre nós? As intenções e as ambições do poder mundano, seja ele poder político, econômico ou cultural? Ou somos reinados pelo trono dos céus, ansiando mais e mais viver segundo o poder de Jesus Cristo?

É claro que não podemos dar nossa vida em resgate de ninguém. Somos nós os resgatados. Podemos, isto sim, entregar nossa vida por amor, exatamente como aprendemos nas Escrituras. Mas não temos santidade nem justiça suficientes para que nossa morte pague o preço do pecado de outra pessoa. Ainda assim, o Evangelho de Marcos nos desafia a viver em serviço, como fez Jesus. Que serviço foi esse?

Se estamos certos ao dizer que Marcos 10.45 encerra a primeira parte desse evangelho, uma seção que consiste sobretudo em relatos de milagres, curas, exorcismos e pregação aos pobres, então podemos afirmar que são justamente esses os atos de serviço realizados por Jesus. E são esses os atos nos quais nós também devemos nos empenhar. Devemos agir como quem serve o mundo, visando o bem do próximo.

C. S. Lewis disse que a igreja é a única instituição que tem como alvo prioritário o bem daqueles que não fazem parte dela. Isso é verdadeiro. Precisamos olhar para fora, como ministros que pregam o resgate da vida por Jesus Cristo, vivendo a vida de serviço de nosso Mestre. Com isso, mostramos que não vivemos da mesma maneira que o mundo à nossa volta, em que os detentores de autoridade exercem poder sobre os demais. Vivemos segundo a lógica do reino, em que o

Rei de todo o universo encarnou, se fez pobre e humano e se entregou por nós, servindo a cada um daqueles que estavam ao seu redor e dando sua vida em resgate de pecadores.

Os milagres de Jesus eram sinais de sua divindade. É desse modo, aliás, que João trata esses milagres em seu evangelho, como sinais que apontavam ser Jesus o Rei esperado desde o Antigo Testamento. Mas se da parte de Jesus os milagres eram sinais indicando sua divindade, para aqueles que os recebiam essa graça era dom, era dádiva, era serviço. Alguém que não podia andar agora anda. Alguém que não podia ouvir agora ouve. Alguém que não podia ver agora vê. Alguém que era assolado por demônios agora não é mais. Pessoas são tiradas de uma condição de exclusão, de miséria social, e elevadas a uma condição em que podem desfrutar de uma realidade mais ampla de humanidade.

É assim também que nós servimos o mundo. É assim também que sinalizamos a divindade de Jesus Cristo. E é assim que sinalizamos o caráter divino da igreja. Ao servir ao próximo, ao ir ao encontro dele em suas dificuldades, ao tratar dos danos sociais que ele sofre, ao compartilhar com ele a graça com a qual o Senhor nos abençoou. A graça do mantimento material, a graça do cuidado da enfermidade, a graça da libertação espiritual e, sem dúvida, a graça do evangelho, que faz com que o pecador seja livre das amarras do pecado e encontre o reino do amor de Deus.

Muitas vezes, porém, nós nos assemelhamos aos filhos de Zebedeu. Aproximamo-nos de Jesus ansiando que ele nos coloque em posições de honra, que nos assente à sua direita e à sua esquerda, que nos coloque sobre os reinos deste mundo e do mundo vindouro. Com frequência, a igreja olha para Jesus Cristo como um empoderador social de sua própria realidade, aquele que elevará seus filhos, sua família, a uma posição de domínio sobre os outros. Mas não é esse o plano de Jesus Cristo, não é esse o exemplo de Jesus Cristo, não é essa a vocação de Jesus Cristo. Ele nos chama para servirmos e para morrermos. "Vocês podem tomar do cálice que eu tomei?" é a pergunta que reordena nossas prioridades. Ela nos ensina que nossa preocupação não deve ser descobrir para quem está preparado o trono, mas sim descobrir a quem devo servir.

É servindo que a igreja sinaliza o reino de Deus. É servindo que ela aponta para a divindade de nosso Mestre. É servindo que ela mostra que nosso Rei se fez servo de todos. E, assim, nós também podemos anunciar aquele que entregou sua vida em resgate de muitos. Estamos dispostos a encarar esse chamado? Estamos dispostos a viver uma vida de serviço? Há tanto o que fazer no mundo hoje. O que temos feito? Há tantas pessoas a abençoar. Como temos abençoado? A Bíblia nos exorta a cuidar do necessitado, e isso muitas vezes não é uma preocupação de nossa espiritualidade individual. Não raro, terceirizamos tais questões para a igreja, para programas sociais, e quem sabe até nos envolvemos minimamente ofertando alguma coisa. Mas como cada um de nós tem se envolvido no bem de nosso vizinho? Como cada um de nós tem servido àqueles que ainda não conhecem o Filho do Homem, que deu sua vida para nos resgatar do pecado? Como é que podemos demonstrar o caráter de Jesus Cristo, se nem nós mesmos nos enchemos da realidade da mensagem desse caráter?

O Evangelho de Marcos nos mostra que não são apenas palavras que expressam a mensagem do reino, mas também atitudes. Respondamos então àquela velha pergunta: Em meus passos, o que Jesus faria? A resposta a essa pergunta é a nossa orientação espiritual. É a nossa religião.

17

O evangelho e seus frutos

Alguém talvez já tenha se perguntado: Por que o Novo Testamento contém quatro evangelhos? Se só existiu um Jesus, e se todos os evangelistas contam a mesma história de Jesus encarnado, por que precisaríamos de quatro versões diferentes dessa história?

A verdade é que os evangelistas não contam a mesma história do mesmo jeito. Apesar de compartilharem o mesmo protagonista e narrarem muitos fatos paralelos, a forma como narram essa história evidencia propósitos teológicos específicos. Mateus, por exemplo, inicia seu evangelho com uma extensa genealogia, sem se preocupar em detalhar quais são suas fontes ou de onde extraiu suas informações. Tendo em vista que sua audiência original prioritária era formada por judeus, Mateus recorre à história judaica para validar o ministério de Jesus associando-o ao cumprimento das profecias sobre a genealogia do povo de Deus.

Lucas, por sua vez, autor do terceiro evangelho, começa sua história de maneira diferente. Ele escreve tendo como destinatário um tal Teófilo, nome de origem grega, possivelmente alguém de posição social elevada, visto que o chama de "excelentíssimo" (Lc 1.1). Lucas relata que buscou uma narrativa ordenada de tudo o que aconteceu relativo a Jesus. Ao contrário de Mateus, Lucas não era uma testemunha ocular do ministério de Jesus. Não o conheceu face a face, não presenciou seus milagres. O que ele faz é investigar, indo aonde Jesus esteve, conversando com pessoas que conheceram Jesus, para então redigir seu livro como fruto de uma "reportagem" especial, ou de uma investigação de detetive, ou até da pesquisa de um historiador. Assim ele compôs seu evangelho.

Mas o que significa evangelho, afinal? Na Bíblia, evangelho indica um gênero literário, usado nos quatro livros do Novo Testamento que contam a história de Jesus Cristo: Mateus, Marcos, Lucas e João. Mas a palavra evangelho, em grego, significa "boa notícia". Naquela época, o termo era usado pelos arautos do império que iam pelas cidades trazendo boas notícias referentes ao imperador, como a vitória em uma batalha ou a inauguração de uma construção. Além disso, na tradução grega das Escrituras hebraicas, o Antigo Testamento, o termo evangelho aparece em Isaías 52.7, quando o profeta diz: "Como são belos sobre os montes os pés do mensageiro que traz boas-novas". Isto é, que traz evangelho.

A despeito dos diferentes usos da palavra, uma coisa é certa: evangelho é sempre um anúncio, sempre uma notícia. Como diz Timothy Keller, o evangelho é uma boa notícia, não um bom conselho. O evangelho não diz respeito a algo que devemos fazer, um conselho para agirmos da maneira correta; antes, diz respeito a algo que já foi feito, que já aconteceu, uma obra realizada por outra pessoa que não nós mesmos. E aqui, no Evangelho de Lucas, deparamos com uma história que evidencia essa diferença de concepção entre a boa notícia que é o evangelho e um bom conselho que às vezes se espera receber desse evangelho. É a conhecida história do jovem rico.

Certa vez, um homem de alta posição perguntou a Jesus: "Bom mestre, que devo fazer para herdar a vida eterna?".

"Por que você me chama de bom?", perguntou Jesus. "Apenas Deus é verdadeiramente bom. Você conhece os mandamentos: 'Não cometa adultério. Não mate. Não roube. Não dê falso testemunho. Honre seu pai e sua mãe'."

O homem respondeu: "Tenho obedecido a todos esses mandamentos desde a juventude".

Quando Jesus ouviu sua resposta, disse: "Ainda há uma coisa que você não fez. Venda todos os seus bens e dê o dinheiro aos pobres. Então você terá um tesouro no céu. Depois, venha e siga-me".

Ao ouvir essas palavras, o homem se entristeceu, pois era muito rico.

Ao ver a tristeza daquele homem, Jesus disse: "Como é difícil os ricos entrarem no reino de Deus! Na verdade, é mais fácil um camelo passar pelo buraco de uma agulha que um rico entrar no reino de Deus".

Aqueles que o ouviram disseram: "Então quem pode ser salvo?".

Jesus respondeu: "O que é impossível para as pessoas é possível para Deus".

Pedro disse: "Deixamos nossos lares para segui-lo".

Jesus respondeu: "Eu lhes garanto que todos que deixaram casa, esposa, irmãos, pais ou filhos por causa do reino de Deus receberão neste mundo uma recompensa muitas vezes maior e, no mundo futuro, terão a vida eterna".

Lucas 18.18-30

Um homem rico e religioso se aproxima de Jesus perguntando o que ele deve fazer para herdar a vida eterna. Ele quer saber qual é o conselho que Jesus pode lhe dar, qual o mandamento, a instrução, a fim de que possa fazer por merecer a vida eterna.

A resposta de Jesus parece grosseira: "Por que você me chama de bom?". Acaso Jesus não é mesmo bom? O homem estava errado em chamá-lo assim? Acaso nós também não podemos chamá-lo de bom mestre? Na verdade, Jesus está provocando esse homem, como que dizendo: "Se você está me chamando de bom, é porque acredita que existem pessoas boas e pessoas más. Por isso só posso acreditar que você se inclui entre as pessoas boas. Acontece que ninguém é bom, apenas o Pai que está no céu". Assim, a única resposta correta que esse homem poderia dar para sustentar a expressão "bom mestre" seria dizer: "Tu és Deus, és o Filho de Deus. Sendo Filho de Deus, tu és bom, diferente de todos nós, que somos maus". Mas não era isso o que se passava na cabeça desse jovem. Na cabeça dele estava o seguinte: "Existem pessoas boas que podem herdar a vida eterna, e existem pessoas más que não conseguirão herdá-la. Eu estou aqui para que me ensines a ser bom para também merecê-la".

Em outras palavras, ele busca uma autojustificação, uma forma de cumprir por conta própria mandamentos que sejam suficientes para herdar a vida eterna. Ele diz que já cumpre desde a meninice todos os mandamentos que Jesus listou. Talvez isso já fosse o suficiente para ele, talvez já houvesse atingido a "nota de corte", feito por merecer a graça de Deus, por mais contraditório que seja alguém merecer a graça de Deus. É nisso que ele parece acreditar, que cumprir mandamentos é suficiente.

Jesus então lhe faz mais um desafio: "Ainda há uma coisa que você não fez. Venda todos os seus bens e dê o dinheiro aos pobres. Então você terá um tesouro no céu. Depois, venha e siga-me".

É importante destacar que Jesus não está dizendo que todo aquele que vende seus bens garante a vida no céu. Não é esse o ensinamento de nosso Senhor. O que ele está mostrando é que todas as pessoas, por mais justas que imaginem ser, não conseguirão cumprir as exigências da santidade para herdar a vida eterna. Sempre haverá um limite, sempre haverá algo inegociável, sempre haverá aquilo com o qual não seremos capazes de nos comprometer.

O que mais me espanta nessa história do jovem rico é que, em nossas igrejas, ele seria considerado um exemplo para a juventude. "Deem cargos de liderança para esse rapaz!", diríamos. "Enviem-no para o seminário, coloquem-no em algum ministério, para que ele possa ser bênção para a igreja. Esse jovem é um exemplo de santidade." Mas Jesus não se impressiona com nossas obras, com nosso pretenso bom comportamento. A única coisa que ele requer de nós, a única coisa que ele nos pede é que reconheçamos que não somos bons, e que tão somente pela bondade e pela graça dele podemos receber a vida eterna. Nenhum mérito nos cabe.

O evangelho, portanto, é essa boa notícia de que Deus nos oferece sua graça mediante a obra realizada por Jesus, e não por meio de uma obra que nós ainda temos de realizar. É na obra de Jesus Cristo, nosso mediador, que depositamos nossa fé. É ele que nos salva, não nossa retidão, não nossos bens, não a admiração que conquistamos na igreja ou na sociedade. Nada disso impressiona Jesus. Precisamos reconhecer que somos pecadores e carentes da graça para nos salvar do inferno que merecemos.

Há outro aspecto a destacar nessa história. Se esse jovem rico cresse mesmo em Jesus, ele não temeria vender tudo o que tem e segui-lo. Que preço, afinal, é alto demais para obter a vida eterna? A verdade é que ele não cria de coração, o que se evidencia pela tristeza que sentiu ao constatar qual era a exigência que Jesus Cristo lhe fazia.

Aqui entramos num assunto importante do Evangelho de Lucas. Mais que os outros evangelistas, Lucas destaca em seu texto o problema da idolatria à riqueza, a acumulação de bens como objetivo de vida, bem como a aceitação passiva da realidade da pobreza, da fome e da necessidade à nossa volta. Por isso Lucas repetidas vezes demonstra como Jesus andou com os pobres, serviu aos pobres, curou os pobres, alimentou os pobres. Trata-se de uma prática presente em todo o ministério de Jesus, mas que ganha luz especial no Evangelho de Lucas.

Assim, no relato em questão, Jesus se encontra com esse jovem rico, desafia-o a amar mais a Deus que as próprias riquezas, e o jovem falha nesse desafio. É então que Jesus diz: "É mais fácil um camelo passar pelo buraco de uma agulha que um rico entrar no reino de Deus".

O camelo era o maior animal conhecido naquela época, ou ao menos aquele com o qual a maioria das pessoas estava habituada. E o buraco de uma agulha era o menor orifício que se poderia conceber. Nas palavras de Jesus, portanto, é mais fácil um animal desse porte entrar num espaço tão minúsculo do que um rico entrar no reino de Deus. Daí a pergunta dos discípulos a Jesus, sobre quem poderia ser salvo em tais condições. Na visão deles, era impossível que alguém pudesse ser salvo, pois se nem os ricos, supostamente mais habilitados a cumprir as leis, eram capazes de fazê-lo, que dirá os pobres.

Jesus responde dizendo que o impossível para as pessoas é possível para Deus. Isso é o evangelho. Não é o que nós, pecadores, podemos fazer para nos salvar, mas é o que Deus faz para salvar a nós, pecadores. É impossível um rico entrar no reino de Deus, porque é impossível qualquer pessoa entrar no reino de Deus. Mas o que é impossível para as pessoas é possível para Deus.

Aqui, contudo, é preciso tomar algum cuidado. Por vezes pode parecer que a riqueza, nessa interpretação, é um mero detalhe. Não é o caso: é evidente que Jesus está ensinando uma lição sobre ricos e pobres. Logo após Jesus exaltar a possibilidade divina em resposta à indagação de Pedro sobre a impossibilidade humana, Pedro replica: "Deixamos nossos lares para segui-lo". Alguns estudiosos debatem se Pedro, e os pescadores de modo geral, eram ricos ou pobres. Pelo relato de Atos dos Apóstolos, escrito pelo mesmo Lucas, sabemos que Pedro era iletrado e que, portanto, dificilmente faria parte da elite da sociedade da época. De todo modo, o fato é que Pedro e os demais discípulos deixaram tudo o que tinham para seguir Jesus, e certamente eles não eram ricos como aquele jovem. A resposta de Jesus é maravilhosa: "Eu lhes garanto que todos que deixaram casa, esposa, irmãos, pais ou filhos por causa do reino de Deus receberão neste mundo uma recompensa muitas vezes maior e, no mundo futuro, terão a vida eterna".

O que esse texto nos ensina sobre ricos e pobres? Que tanto ricos quanto pobres dependem da graça de Deus para ser salvos. Que é impossível, para qualquer um, salvar a si mesmo. Que só o Senhor, nosso Deus, pode salvar os pecadores. E que, apesar disso, muitas vezes os que nada têm abandonam até o pouco que têm para seguir a Jesus Cristo, ao passo que os que têm muito parecem ter um rival à fidelidade divina, que é sua própria riqueza. Não à toa a Palavra de Deus personifica a riqueza como uma divindade, *Mamom*, e essa divindade rivaliza com o Deus verdadeiro. Mas é impossível servir a Deus e às riquezas. Os mais pobres, por sua vez, em seu desespero, em sua condição de opressão, buscam sem reservas em Jesus sua única esperança, e assim encontram a salvação que só ele pode dar.

Alguém poderia perguntar: Quão rica uma pessoa deve ser para sofrer a tentação de divinizar o dinheiro? E a resposta é: Não importa. Qualquer pessoa pode amar mais as riquezas que a Jesus Cristo. Mesmo aquelas que não têm riqueza podem ter como finalidade de vida enriquecer. No Evangelho de Lucas e em outras passagens da Bíblia, parece evidente que esse tipo de tentação assedia sobretudo aqueles que detêm poder e riquezas e ocupam posições sociais elevadas. Mas qualquer pessoa pode pecar pela ganância. O essencial é sondar o coração e buscar sempre agir com generosidade, honestidade e misericórdia, conforme nos desafia Jesus.

Um exemplo disso se encontra no próprio Evangelho de Lucas. No capítulo 19, encontramos a história de outro homem rico, Zaqueu, chefe dos cobradores de impostos. Zaqueu não vai a Jesus perguntando-lhe o que fazer para herdar a vida eterna. Na verdade, Zaqueu protagoniza uma cena que revela seu desespero: de baixa estatura, ele não consegue ver Jesus entre a multidão, então resolve subir numa figueira no meio do caminho para assim avistar, ainda que de longe, o tão comentado mestre.

Tal atitude revela um desapego da própria dignidade. Um homem rico, de alta posição, sobe numa árvore a fim de poder ver uma "celebridade". Para Zaqueu, nada mais importa senão conhecer Jesus. E, quando Jesus o encontra, não é Zaqueu que procura fazer algo para obter a vida eterna, é Jesus que lhe diz: "Zaqueu, desça depressa! Hoje devo hospedar-me em sua casa" (Lc 19.5). Jesus se convida para cear com Zaqueu, e é esse autoconvite da parte de Jesus o que transforma a vida de Zaqueu.

Não somos transformados para então convidarmos Jesus para viver em nós. Jesus é que entra em nossa casa e transforma nossa maneira de viver. Sem que Jesus pedisse, como havia pedido ao jovem rico, Zaqueu se levanta e diz: "Senhor, darei metade das minhas riquezas aos pobres. E, se explorei alguém na cobrança de impostos, devolverei quatro vezes mais!" (Lc 19.8). E Jesus encerra essa história dizendo: "Hoje chegou a salvação a esta casa, pois este homem também é filho de Abraão. Porque o Filho do Homem veio buscar e salvar os perdidos" (Lc 19.9-10).

Não somos nós, mas é o Filho do Homem, Jesus Cristo, que nos busca e nos salva. E, quando ele entra em nossa vida, tudo muda, inclusive a maneira como lidamos com o dinheiro. Jesus nos deu a vida eterna por intermédio de sua graça, e nós então submetemos a ele tudo o que temos e tudo o que somos, vivendo graciosa e misericordiosamente com aquilo que ele nos deu.

Isso é evangelho, e esses são os frutos do evangelho.

18

O Deus presente

Quando nos dedicamos à leitura completa da Bíblia, logo notamos como o Evangelho de João é diferente dos três outros evangelhos. Ainda que estejam todos contando a mesma história e falando da mesma pessoa, há uma abordagem em comum que reúne Mateus, Marcos e Lucas sob o nome de evangelhos sinóticos, aqueles que têm uma mesma visão. João, por sua vez, não só recorre a fontes diferentes dos demais como também aborda o tema central de seu livro de maneira distinta.

João foi testemunha ocular do ministério de Jesus, a exemplo de Mateus. A redação de seu texto, contudo, se deu já no final do primeiro século, sendo um dos últimos livros do Novo Testamento a ser escrito. Sua audiência é uma geração distante dos fatos relativos à vida e à obra de Jesus. Em João 20.30-31, ele explica por que escreveu seu livro: "Os discípulos viram Jesus fazer muitos outros sinais além dos que se encontram registrados neste livro. Estes, porém, estão registrados para que vocês creiam que Jesus é o Cristo, o Filho de Deus, e para que, crendo nele, tenham vida pelo poder do seu nome".

Seu objetivo, portanto, é dar testemunho a uma nova geração de discípulos para que eles também creiam em Jesus.

E embora João reconheça que nem todas as páginas do mundo seriam suficientes para registrar tudo o que Jesus fez, os atos e as palavras de Jesus contidos em seu evangelho já bastam para que seus leitores estejam certos da veracidade dessa história, de modo que possam também crer para a salvação.

João dá início a seu evangelho declarando que em Cristo o próprio Deus se fez presente em nosso meio. O Cristo encarnado é a Palavra, a Palavra que estava com Deus e que é Deus, e todas as coisas foram feitas por meio dela. Essa Palavra se tornou ser humano, carne e osso, e habitou entre nós, cheio de graça e verdade. "E vimos sua glória, a glória do Filho único do Pai", diz João (Jo 1.14). Mais adiante, ele diz também: "Ninguém jamais viu a Deus, mas o Filho único, que mantém comunhão íntima com o Pai, o revelou" (Jo 1.18). Aquele Deus que nunca tinha sido visto por ninguém, o Deus invisível, foi visto em Jesus Cristo, o Filho único do Pai.

João parece estar contando vantagem, como que dizendo: "Vocês não viram porque não estavam lá, mas eu estava. Foi incrível, foi maravilhoso, nós vimos a glória do Filho único do Pai!". Mas não é o caso. O seu, de fato, é o único dos evangelhos que relata a história de Tomé, aquele que precisou ver o Cristo ressuscitado para crer. E é a Tomé que Jesus diz: "Você crê porque me viu. Felizes são aqueles que creem sem ver" (Jo 20.29), exatamente na seção anterior ao trecho em que João relata ter escrito seu livro para que aqueles que não viram Jesus pudessem crer mesmo sem tê-lo visto. Ou seja, quando Jesus diz a Tomé que felizes são os que creem sem ver, ele está dizendo, de certa forma, que todos nós somos bem-aventurados por crer mesmo sem vê-lo fisicamente, à nossa frente, e que portanto não estamos em desvantagem nenhuma em relação aos discípulos e àqueles que se encontraram pessoalmente com o Cristo encarnado. Nosso encontro com Jesus e nossa união à comunidade de seus discípulos se dá pela fé.

Mas como é exatamente esse encontro com Jesus à luz das condições de existência atuais? Como é que nós, no século 21, podemos repetir esse encontro?

Em João 13—17, Jesus e seus discípulos estão juntos à mesa, reunidos na chamada Última Ceia. Ao contrário dos demais evangelistas, João não se ocupa tanto dos aspectos eucarísticos dessa reunião. Seu foco recai sobre os discursos de Jesus. E num desses discursos finais, ao concluir aquela que chamamos de oração sacerdotal, quando entrega seus discípulos ao Pai a fim de que eles continuem cumprindo sua missão, Jesus ora por nós. Isso mesmo, ele ora por mim e por você: "Não te peço apenas por estes discípulos, mas também por todos que crerão em mim por meio da mensagem deles" (Jo 17.20).

No início dessa reunião com os discípulos, Jesus já tinha dito que prepararia lugar na casa de seu Pai, onde há muitas moradas. Filipe, um dos discípulos, pede a Jesus: "Senhor, mostre-nos o Pai, e ficaremos satisfeitos" (Jo 14.8). Filipe quer ver a Deus, quer encontrar a Deus e enxergá-lo com os próprios olhos. Eis a resposta de Jesus:

> Filipe, estive com vocês todo esse tempo e você ainda não sabe quem eu sou? Quem me vê, vê o Pai! Então por que me pede para mostrar o Pai? Você não crê que eu estou no Pai e o Pai está em mim? As palavras que eu digo não são minhas, mas de meu Pai, que permanece em mim e realiza suas obras por meu intermédio. Apenas creiam que eu estou no Pai e que o Pai está em mim. Ou creiam pelo menos por causa das obras que vocês me viram realizar.
>
> João 14.9-11

Basicamente, Jesus está dizendo a Filipe: "Se você quer ver o Pai, você deve ver a mim. É em mim que você enxerga o Pai". Ou, como nos lembra João, ninguém jamais viu a Deus, mas o Filho único do Pai o revelou a nós.

Contudo, ainda não resolvemos nossa questão. Como é que nós, hoje, podemos encontrar o Pai em Cristo? A resposta se encontra em João 14.21, quando Jesus explica: "Aqueles que aceitam meus mandamentos e lhes obedecem são os que me amam. E, porque me amam, serão amados por meu Pai. E eu também os amarei e me revelarei a cada um deles". Em outras palavras, se queremos ter um real encontro com Jesus, e não apenas conhecer mais a respeito dele, se queremos a revelação de Jesus, isso se dará no âmbito da obediência em amor.

Em Deuteronômio 6.4-5, aprendemos que o cumprimento dos mandamentos do Senhor para o povo de Israel tinha como fim um relacionamento de amor com Deus. A lei toda se resume em amar a Deus com toda a nossa força, com toda a nossa alma, com tudo o que somos. Não somos chamados para cumprir uma obrigação. Somos chamados para um relacionamento de amor. Aqui Jesus está dizendo a mesma coisa: "Se vocês me amam, vocês cumprem meus mandamentos. Mas vocês não fazem isso desamparados, sem ser amados. Vocês são amados pelo Pai e também por mim. Não é obediência por medo ou visando alguma troca. É obediência dentro de um relacionamento de Pai e filhos. Um relacionamento de amor".

Mas que mandamentos são esses aos quais devemos obedecer? Se retrocedermos um pouco o discurso de Jesus na Última Ceia, encontraremos estas suas palavras: "Por isso, agora eu lhes dou um novo mandamento: Amem uns aos outros. Assim como eu os amei, vocês devem amar uns aos

O DEUS PRESENTE

outros. Seu amor uns pelos outros provará ao mundo que são meus discípulos" (Jo 13.34-35). Eis o mandamento: que amemos uns aos outros.

Os Evangelhos de Mateus e de Lucas relatam a ocasião em que se questiona a Jesus qual era o mandamento mais importante da lei de Moisés. Jesus responde que o primeiro e maior mandamento é amar a Deus acima de todas as coisas, e que o segundo, igualmente importante, é amar o próximo como a si mesmo. Mas aqui, nesse discurso, Jesus une esses dois mandamentos. Já não são dois mandamentos diferentes. São um mandamento só.

E é cumprindo esse mandamento, amando-nos uns aos outros como ele nos ama, que o mundo saberá que somos seus discípulos. O mundo encontrará a realidade de Jesus Cristo em nós a partir dessa nossa atitude de amor para com o próximo. Quando um dos discípulos pergunta a Jesus por que ele se revelará a eles, e não ao mundo, Jesus responde: "Quem me ama faz o que eu ordeno" (Jo 14.23). Ou seja, ele se revelará àqueles que o amam, e os que o amam cumprem seu mandamento de amor. Quando nós, como igreja, somos uma comunidade marcada pelo amor, em nós Jesus Cristo se revelará ao mundo, porque se amarmos uns aos outros o mundo saberá que somos discípulos de Jesus.

O mesmo João que escreveu o quarto evangelho é autor também de três breves cartas, reunidas perto do final do Novo Testamento. A primeira delas guarda profundas conexões com tudo o que aprendemos até aqui. Nela João aborda Jesus como a Palavra de Deus que estava com Deus desde o princípio e reivindica novamente seu testemunho da vida de Cristo, afirmando proclamar "aquele que ouvimos com nossos próprios olhos e tocamos com nossas próprias mãos" e anunciar "aquilo que nós mesmos ouvimos, para que tenham comunhão conosco" (1Jo 1.1,3). Então, em 1João 4.12, lemos: "Ninguém jamais viu a Deus. Mas, se amamos uns aos outros, Deus permanece em nós, e seu amor chega, em nós, à expressão plena".

Creio que já deu para perceber o que está acontecendo aqui. No evangelho, João diz: "Ninguém jamais viu a Deus, mas o Filho único o revelou a nós". Agora ele diz: "Ninguém jamais viu a Deus. Mas, se amamos uns aos outros, Deus permanece em nós". João está dizendo que a presença de Cristo entre nós, sua revelação, perpassa o fato de que obedecemos a seu mandamento para que sejamos uma comunidade de amor, o amor semelhante ao que Deus revelou na cruz e que devemos manifestar em nós, aqui e agora, onde quer que estejamos. Quando a igreja ama como Jesus nos amou, o próprio Senhor Jesus Cristo é revelado no mundo. Nosso testemunho da realidade de Cristo, da presença de Deus no mundo hoje, acontece quando amamos uns aos outros. Não é apenas na pregação da Palavra, por mais importante que ela seja. A pregação da Palavra, aliás, visa justamente tomar nossa vida e nossa comunidade e nos levar a uma vida de amor, para que manifestemos Jesus Cristo através do cumprimento do mandamento que ele nos deu. Isso não é pouca coisa, não é um detalhe da vida cristã, não é uma obra adicional. É a própria identidade de Cristo em nós.

Urge que retomemos a consciência da necessidade do amor de Deus. É constrangedor, perante a santidade de Deus, constatar que o amor não é a característica mais conhecida da igreja hoje no mundo. Quando o mundo olha para a igreja, não constata uma igreja amorosa, que representa o Deus que perdoou pecadores em Jesus Cristo e mostrou assim seu amor pela humanidade. Não é uma igreja que estampa em sua fronte o mote da pregação evangélica expresso em João 3.16: "Porque Deus amou tanto o mundo que deu seu Filho único, para que todo o que nele crer não pereça, mas tenha a vida eterna". Não é essa a mensagem associada à igreja hoje. Muitos na igreja, infelizmente, se consideram superiores aos outros. Isso não faz sentido. Quem conhece a dimensão de sua miséria é capaz de compreender algo da dimensão do amor de Deus. E quem compreende algo da dimensão do amor de Deus ama seu próximo. Precisamos resgatar esse entendimento, exercitar-nos nele mais e mais, para que o amor de Deus se manifeste em nós.

Como os outros sabem que somos cristãos? Pelo modo como os amamos? Ou por nossa fidelidade a uma religião? Somos representantes nominais do cristianismo, ou somos pessoas que amam como Jesus amou? Como estão nossos relacionamentos, tanto dentro como fora da igreja? Como agimos nas redes sociais? E na escola ou no ambiente de trabalho? Agimos motivados por consolar, perdoar, cuidar do outro, ou nosso intuito é sempre hostilizar, confrontar, criar desavença?

Reflitamos hoje sobre todos os relacionamentos em que estamos inseridos, a fim de entendermos, de coração, que nosso papel neste mundo é o de agentes da reconciliação e do amor. Somos representantes do amor de Deus no mundo, e é assim que devemos caminhar em cada âmbito de nossa vida.

19

O único Senhor

Atos dos Apóstolos é o quinto livro do cânon do Novo Testamento. Mas, se observamos seu primeiro versículo, perceberemos que ele faz referência a um "primeiro livro". Trata-se do Evangelho de Lucas. Sabemos disso porque ambos os livros são remetidos a um homem chamado Teófilo. No evangelho, Lucas conta a história de Jesus; em Atos, o mesmo Lucas conta a história da igreja de Jesus depois que Cristo morreu, ressuscitou e subiu aos céus.

Poderíamos dizer, assim, que Atos é uma sequência do Evangelho de Lucas, um evangelho "parte dois", mas em vez de ser centrado em Jesus Cristo, como são os evangelhos de Mateus, Marcos, Lucas e João, esse livro enfoca a história da igreja. E em Atos encontramos a presença de um personagem muito importante. O historiador da igreja Justo L. González diz que Atos é o evangelho do Espírito Santo. Isso porque, em todos os momentos decisivos do livro, o Espírito Santo, a terceira pessoa da Trindade divina, manifesta dons e maravilhas no meio do povo de Deus.

O Espírito Santo fornece o poder que produz a dinâmica da expansão da igreja por todo o mundo. Já no primeiro capítulo o Senhor Jesus Cristo, pouco depois da ressurreição,

O ÚNICO SENHOR

reúne-se com os discípulos em Jerusalém e lhes diz o que haveria de acontecer: "Vocês receberão poder quando o Espírito Santo descer sobre vocês, e serão minhas testemunhas em toda parte: em Jerusalém, em toda a Judeia, em Samaria e nos lugares mais distantes da terra" (At 1.8).

Notemos que é o poder do Espírito que fará desses homens testemunhas de Jesus em todos os lugares do planeta. É o poder do Espírito que tornará esse grupo de seguidores de Cristo missionários que falarão aos lugares mais distantes e levarão sua mensagem a todo tipo de gente. O livro de Atos relata como isso acontece, desde a descida do Espírito Santo em Jerusalém, nos primeiros capítulos, até sua conclusão, quando o apóstolo Paulo está se dirigindo a Roma, a capital mundial da época, a fim de anunciar Jesus Cristo. Assim, portanto, se organiza o livro de Atos: de Jerusalém a Roma.

É com base nessa estrutura do livro que podemos compreender o episódio relatado em Atos 17. Nessa passagem, Paulo e Silas se encontram em Tessalônica, uma cidade da Macedônia. Eles estão pregando o evangelho, a vinda do Messias, a uma sinagoga de judeus que se reuniam ali. E não são só judeus que se convertem, mas também alguns gentios e mulheres de alta posição acolhem a mensagem sobre Jesus Cristo.

Outros judeus tessalonicenses, contudo, se incomodam com a presença de Paulo e Silas e com o fato de que muitos dos que estavam ali frequentando a sinagoga passam a seguir Jesus. Então organizam uma perseguição aos apóstolos. Reúnem alguns encrenqueiros para iniciar um tumulto e tentam entregar Paulo e Silas ao conselho da cidade, para que sejam condenados. Mas não os encontram. Então pegam Jasom, um dos cristãos de Tessalônica, e o levam ao conselho da cidade. Ali eles dizem algo impressionante a respeito daquilo que os apóstolos vinham fazendo: "Aqueles que têm causado transtornos no mundo todo agora estão aqui, perturbando nossa cidade. E Jasom os recebeu em sua casa! São todos culpados de traição contra César, pois afirmam que existe um outro rei, um tal de Jesus" (At 17.6-7).

Nos escritos do apóstolo Paulo no Novo Testamento, repetidas vezes deparamos com exortações suas sobre a necessidade de que o cristão respeite as autoridades constituídas. Ao contrário do que alguns sugerem hoje, os apóstolos não incitavam os cristãos a se tornarem uma força revolucionária contra o Império Romano. E no entanto, aqueles judeus de Tessalônica acusaram o cristianismo de ser uma religião "anti-romana", ou contra César. E, em certo sentido, eles tinham mesmo alguma razão. Embora não fosse objetivo da igreja construir um grupo de oposicionistas ao império, o fato é que, ao se declararem súditos de Jesus Cristo, os cristãos estão dizendo que ninguém pode se dizer Deus ou se arrogar autoridade divina diante deles. Apenas Jesus Cristo é o Rei e Senhor da igreja.

Esse fato ia de encontro ao culto cívico do imperador que predominava no Império Romano. César era tido como uma figura divina, pelo menos desde que o imperador romano Otávio havia assumido para si o título de "Augusto", o venerável. Ao dizer que Jesus Cristo é o Senhor, os cristãos estavam desafiando abertamente essa visão sobre a autoridade política. Não é que não devesse haver autoridade política, ou que eles estivessem se negando a ser governados por César. Mas eles de fato não reconheciam aquele imperador como sendo algum tipo de deus. O único Rei é Jesus Cristo.

Assim também entendemos o caráter subversivo do livro de Atos. Se na mentalidade política da época o poder e a autoridade emanavam de Roma para todo o império, o texto

O ÚNICO SENHOR

de Atos contará uma história que começa em Jerusalém, e é de lá que sai o poder para alcançar até os confins da terra conhecida naquele tempo. De repente, a geografia do mundo passa a ser vista de uma forma diferente. Os cristãos já não olham para Roma como o centro da existência, o lugar que pauta toda a vida social. Eles olham para a cruz de Cristo, em Jerusalém. De Jerusalém, onde Cristo foi crucificado, onde o Espírito Santo desceu sobre os discípulos e sobre a igreja, dali sai o poder que alcançará os extremos e a periferia do mundo. E qual é a periferia do mundo? Justamente o centro político, o poder de Roma.

Eis o grau de subversão do livro de Atos. O que é o poder? Poder é aquilo que vem de Deus, manifestado em Jesus Cristo e dinamizado na vida da igreja por meio do Espírito Santo. O que é o poder político diante disso? Nada mais que a periferia da história.

Sendo assim, estavam os judeus tessalonicenses certos ao dizer que o imperador deveria ter medo da igreja, porque a igreja representava um desafio a sua autoridade? Não é exatamente o caso. Na verdade, a forma de reinado de Jesus Cristo é tão diferente da forma dos poderes do mundo que ela inclui o respeito às leis humanas estabelecidas. Estar sob a vontade divina implica, de modo geral, agir respeitosamente com toda a sociedade, seguindo suas leis e diretrizes de governo civil. A Bíblia indica alguns casos de exceções, é claro, mas não é nosso foco pensar nisso agora. A questão é que, quando Jesus Cristo fala de um novo reino e esse novo reino está sendo manifestado pelo Espírito através da igreja, ele se refere a um reino no qual o primeiro será o último e quem quiser governar será o servo dos demais, como já vimos em nossa reflexão sobre Marcos 10.

169

A igreja, portanto, está diante de César da mesma forma que Jesus esteve diante de Pilatos. Embora a igreja esteja diante da autoridade estabelecida pelos seres humanos, ela responde a alguém muito acima dessa autoridade: o próprio Deus. E por isso ela não se importa por não ocupar os tronos deste mundo. Assim como Jesus é Rei de um reino que não é deste mundo, também a igreja, como o corpo de Cristo, reina a partir de um reino que não é daqui. O que a igreja faz é testemunhar o fato de que a autoridade que existe sobre ela vem do próprio Senhor Jesus, mediante o Espírito Santo.

O livro de Atos demonstra uma manifestação de Deus no mundo que é contrária aos projetos de poder humano. E, quando pensamos em projetos de poder humano, lembramo-nos automaticamente da história da torre de Babel. A torre de Babel foi um projeto humano de poder, a tentativa de construir um reino para os seres humanos no qual colocariam seu nome a fim de que não se espalhassem por toda a terra e assim alcançassem poder absoluto. "Se isto é o começo do que fazem, nada do que se propuserem a fazer daqui em diante lhes será impossível", disse o próprio Deus (Gn 11.6). Caso obtivessem êxito na construção desse projeto imperial que era a torre de Babel, os seres humanos conseguiriam levar sua maldade às últimas consequências. E, para pôr um limite a essa maldade humana, Deus faz com que todos os envolvidos na construção da torre tenham suas línguas confundidas. Assim, em vez de um projeto unificado de maldade imperial, o Senhor divide os seres humanos em diversos projetos maléficos de império, nos quais um malvado impõe limites a outro malvado. Toda a Bíblia retrata essa realidade. Conforme um povo vai crescendo em poder e cometendo mais atrocidades, o Senhor usa outro povo, mau também, para destruir esse primeiro.

O ÚNICO SENHOR

Atos é o contrário disso. Em lugar de seres humanos com um projeto de poder maléfico, seres humanos transformados que são servos de um Rei, Jesus Cristo. Em lugar de seres humanos que buscam fazer um nome para si, seres humanos que servem ao nome de Jesus Cristo. Em lugar de seres humanos ávidos por reunir um só povo a fim de por meio dele exercer seu poder mau, seres humanos que vão a todos os povos levar o testemunho de Jesus. E, em lugar da confusão de línguas ocasionada para restringir a maldade humana, o Espírito Santo sendo compreendido em todas as línguas de todos os povos da terra conhecida.

Se o Império Romano é uma tentativa de poder humano, uma manifestação da torre de Babel naquele tempo, a igreja de fato se posiciona contrariamente a esse projeto maléfico, pois age mediante outra lógica. Mas ela não faz isso levantando um reino seu para rivalizar com o reino humano. Ela faz isso entendendo que nosso Rei se fez servo de todos e entregou sua vida em resgate de muitos. Assim, nós também nos ocupamos de ser servos. Não nos dedicamos a erguer torres das quais podemos reinar, mas nos dedicamos a nos fazer representantes de Jesus Cristo, amando nossos irmãos e ao próximo que está além de nossas paredes. E, com essa lógica de amor, de serviço, de entrega, rendemos glórias ao único Rei, o humilde Rei Jesus, que se fez servo por todos, que deu sua vida por nós e que inaugurou um reino que age sob uma lógica contrária à de Roma, à da Babilônia ou a de qualquer outro império.

Quando a igreja esquece seu lugar e começa a pensar que, para realizar sua missão, ela precisa sentar-se nos tronos deste mundo, ela está abrindo mão de sua fidelidade a Jesus. Está assumindo uma posição idolátrica, como eram

171

idólatras os que serviam a César naquele tempo. Uma igreja que verdadeiramente serve a Jesus Cristo não está preocupada em ocupar posições de autoridades neste mundo. Ela está preocupada com aqueles que são esmagados pelas torres de Babel que ainda permanecem em pé. Ela também não está preocupada em criar divisões e línguas diferentes, em causar confusão. O poder que a move é o poder do Espírito, que produz unidade, que congrega representantes de todos os povos debaixo de um único nome: o nome de Jesus Cristo.

Por isso a igreja, movida pelo Espírito, é uma força de unidade e fraternidade entre todos os povos, entre pessoas de todas as classes, raças, línguas, nações, pessoas de todas as condições. É um grupo muito diverso, sem dúvida, mas que confessa com lábios e coração fiéis que o Senhor Jesus é nosso Rei e que nós somos parte de seu reino.

É comum encontrarmos hoje em nosso país aqueles que sonham com um Brasil cristão. Infelizmente, não se trata de um pais cristão mediante o testemunho de Jesus Cristo até os confins da terra movido pelo poder do Espírito, mas sim um país cristão que se dá a partir do trono de Roma. É um sonho de país cristão que se dá pela moralização da sociedade através de leis do poder mundano, e não pelo testemunho do Cristo ressurreto, pela pregação do evangelho a fim de que haja conversão verdadeira. Em vez disso, o foco são leis que obriguem todos a agir com a hipocrisia de um religioso, mas não com a fidelidade de um discípulo.

Esse nunca foi o plano de Jesus Cristo. A vontade de Deus revelada nas páginas do Novo Testamento é que sejamos um povo submetido ao trono divino. E, submetidos ao trono divino, nós nos fazemos servos de todos. Esse é o poder do Espírito capaz de transfornar o mundo. Não é visando as

O ÚNICO SENHOR

torres, mas sim visando aquele que desceu às sepulturas para então subir ao céu e reinar sobre nós. É pelo poder do Espírito que nós testemunhamos de Jesus Cristo, convocando gente de todos os povos para uma família de filhos de Deus, a fim de que, amando e servindo uns aos outros, todo espírito de divisão e todo espírito de opressão que existem nos poderes babilônicos sejam desafiados.

20
Não me envergonho das boas-novas

O apóstolo Paulo é autor do maior número de livros do Novo Testamento. São treze epístolas escritas por ele e enviadas a igrejas, pastores e até a um amigo chamado Filemom.

Nas epístolas de Paulo encontramos algumas das formulações primordiais da fé cristã. Grande parte de seu ministério se deu em viagens missionárias, expandindo o testemunho de Jesus Cristo por todo o mundo conhecido da época. Nesse esforço, Paulo se dedicou a explicar o evangelho de Jesus a pessoas de diferentes lugares, de culturas, estilos de vida e contextos religiosos muito distintos.

Foi nesse movimento que Paulo nos legou os escritos de suas epístolas, que fundamentam muito daquilo que nós hoje chamamos de teologia cristã. Isso é algo digno de nota, uma vez que em geral pensamos que a tarefa do teólogo e a do missionário são bastante distintas. Supostamente o teólogo ocupa as regiões centrais da igreja, o núcleo da vida eclesiástica, ao passo que os missionários se dedicam às fronteiras. Do teólogo deve vir a interpretação da ortodoxia, enquanto ao missionário, bebendo dessa fonte, cabe o papel de testemunhá-la àqueles que não a conhecem.

Na história da fé cristã, porém, vemos que a teologia surge primariamente do encontro dos cristãos com aqueles que não conhecem Jesus Cristo. Isto é, parcela significativa da formulação teológica nasce do movimento missionário e dos desafios que esse encontro entre culturas produz. A boa teologia, portanto, é aquela feita no espírito da Grande Comissão de Jesus Cristo em Mateus 28.18-20.

A primeira carta de Paulo que encontramos no Novo Testamento é destinada aos cristãos em Roma, e nela vemos o apóstolo desempenhar essa sua atividade de teólogo missionário ou missionário teólogo. Ele escreve a uma comunidade que ainda não conhecia pessoalmente, muito embora estivesse familiarizado com algumas pessoas de Roma, conforme menciona ao final da carta.

Algumas informações a respeito do contexto histórico nos ajudam a entender melhor as condições da igreja para a qual Paulo escreve. Em Atos 18.2, vemos que o casal judeu Áquila e Priscila havia se encontrado com o apóstolo em Corinto depois de saírem de Roma, pois os judeus haviam sido expulsos da capital do império. Por meio de textos extrabíblicos, sabemos que vinham surgindo conflitos em Roma relacionados a Cristo e ao debate cristão no seio da comunidade judaica, o que levou o imperador Cláudio a expulsar todos os judeus da cidade. Algum tempo depois, o casal retornou, assim como outros judeus, conforme subentendemos da menção que o próprio Paulo faz de Priscila e Áquila em Romanos 16.3.

Entendemos assim que os judeus cristãos que haviam sido expulsos de Roma, ao regressar, encontraram uma igreja influenciada predominantemente pelos gentios romanos, e esse encontro suscitou algum tipo de conflito. De um lado, os judeus cristãos, com toda a sua compreensão sobre a lei e a necessidade de guardá-la, e do outro lado, os gentios que se tornaram seguidores de Jesus Cristo. É para essa igreja dividida que Paulo escreve sua carta, e ele escreve visando superar essa divisão, apresentando-lhes um evangelho que são as boas-novas de Deus. Assim ele se apresenta àquela comunidade: "Eu, Paulo, escravo de Cristo Jesus, chamado para ser apóstolo e enviado para anunciar as boas-novas de Deus, escrevo esta carta" (Rm 1.1).

Mas que boas-novas são essas? Ele apresenta um resumo nos versículos seguintes:

> Deus prometeu as boas-novas muito tempo atrás nas Escrituras Sagradas, por meio de seus profetas. Elas se referem a seu Filho, que, como homem, nasceu da linhagem do rei Davi, e, quando o poder do Espírito Santo o ressuscitou dos mortos, foi demonstrado que ele era o Filho de Deus. Ele é Jesus Cristo, nosso Senhor. Por meio dele recebemos a graça e a autoridade, como apóstolos, de chamar os gentios em toda parte a crer nele e lhe obedecer, em honra de seu nome.
>
> E vocês estão entre esses gentios chamados para pertencer a Jesus Cristo. Escrevo a todos vocês que estão em Roma, amados por Deus e chamados para ser seu povo santo.
>
> Que Deus, nosso Pai, e o Senhor Jesus Cristo lhes deem graça e paz.
>
> Romanos 1.2-7

As boas-novas, portanto, eram aquelas já testemunhadas nas Escrituras hebraicas e que diziam respeito ao Filho de Deus que foi demonstrado pelo poder do Espírito Santo na ressurreição. O Filho de Deus era, segundo a carne, descendente de Davi, portanto era parte do povo judeu, descendente dessa linhagem. E é das Escrituras hebraicas que vinha o testemunho desse evangelho, de modo que Jesus é a boa notícia que nasce no seio do povo hebraico. Mas ele vem também com poder e com apostolado, chamando homens e mulheres para anunciar aos gentios essa boa notícia, a fim de que pessoas de todo o mundo se reúnam como um só povo submetido ao reino de Jesus Cristo.

Com base nesse contexto, de uma igreja formada por gentios e judeus, podemos nos concentrar nas palavras de Paulo em Romanos 1.16-17:

> Pois não me envergonho das boas-novas a respeito de Cristo, que são o poder de Deus em ação para salvar todos os que creem, primeiro os judeus, e também os gentios. As boas-novas revelam como Deus nos declara justos diante dele, o que, do começo ao fim, é algo que se dá pela fé. Como dizem as Escrituras: "O justo viverá pela fé".
>
> Romanos 1.16-17

"Não me envergonho das boas-novas", isto é, não me envergonho do evangelho. O apóstolo faz essa afirmação categórica: encarregado de proclamar essa boa notícia ao mundo todo, ele o faz desavergonhadamente, sem timidez, sem se sentir acuado. Mas poderíamos perguntar: Por que, afinal, alguém se envergonharia do evangelho? De que vergonha Paulo está falando aqui?

Antes de mais nada, devemos resistir à tentação de pensar que essa falta de vergonha do apóstolo seja mera ostentação de uma cultura cristã ou de uma cultura evangélica. Não se trata de uma exaltação da própria identidade, como forma de contrapor-se ao mundo ao redor. Não é disso que o apóstolo está falando. Quando Paulo afirma não se envergonhar das boas-novas, ele se refere de fato às boas-novas, não a um estilo de vida ou a uma característica humana de que ele pudesse se vangloriar como sendo superior às demais.

Pois as boas-novas, o evangelho de Jesus Cristo, poderiam ser, sim, motivo de constrangimento. Basta estabelecer um paralelo entre as palavras de Paulo em Romanos 1 e suas palavras em 1Coríntios 1. Se à igreja em Roma ele diz que as boas-novas são um poder para salvação, primeiro dos judeus e depois dos gentios, à igreja em Corinto ele diz: "Quando pregamos que o Cristo foi crucificado, os judeus se ofendem, e os gentios dizem que é tolice. Mas, para os que foram chamados para a salvação, tanto judeus como gentios, Cristo é o poder de Deus e a sabedoria de Deus" (1Co 1.23-24).

Portanto, ao dirigir-se a uma comunidade formada por judeus e gentios, Paulo, que era judeu mas que também tinha cidadania romana, mostra que não haveria motivo para eles se envergonharem diante daqueles judeus que se ofendiam com o testemunho do evangelho, segundo o qual o próprio Filho de Deus encarnou e foi crucificado. Mas tampouco haveria motivo para se envergonharem diante dos gentios, que consideravam essa história toda uma grande tolice, já que ela não se adequava à visão de mundo da filosofia greco-romana da época.

É isto o que Paulo que dizer: Eu não me envergonho do evangelho, ainda que ele seja considerado ofensivo pelos judeus e seja considerado loucura pelos gentios. Não me envergonho do evangelho, ainda que proclamá-lo me faça parecer louco e fora dos padrões da sociedade. Não me envergonho do evangelho porque os outros rejeitam o evangelho. O evangelho, na realidade, é aquilo que prego para a salvação também daqueles que a princípio o rejeitam, que não reconhecem o senhorio de Jesus Cristo. Por amor a eles eu não me envergonho do evangelho e continuo anunciando essa boa notícia, mesmo que venham me tachar de louco ou imoral. Continuo pregando o evangelho para eles, para os gentios bem como para os judeus, porque o evangelho é salvação, primeiro para os judeus, depois para os gentios.

A questão aqui, portanto, não é transformar vergonha em orgulho. Não é pregar as boas-novas ostensivamente, em tom de desafio, contra aqueles que o reputam como loucura ou vergonha. Na verdade, não nos envergonhamos do evangelho justamente por amor àqueles que o rejeitam. É porque os amamos que pregamos sem nos envergonhar.

Paulo sabia que tanto judeus como gentios necessitavam do poder do evangelho, muito embora o considerassem vergonha e loucura. Nós, por nossa vez, frequentemente queremos expressar abertamente nossa religiosidade, nossa cultura evangélica, com o intuito de destacar como nós rompemos com o que o mundo considera normal ou aceitável. Mas quando agimos assim, por mero orgulho ou por mera resistência, não estamos imitando o exemplo do apóstolo.

Não nos envergonhamos do evangelho diante daqueles que não creem nele, porque amamos aqueles que não creem. Não nos envergonhamos do evangelho porque, se nos envergonharmos e nos calarmos, o poder do evangelho para a salvação não chegará até eles. Não nos envergonhamos do evangelho porque o amor supera qualquer vergonha. Paulo diz que não se envergonha do evangelho porque sabe que não deve se pautar pelos olhares humanos e por aquilo que os outros julgam aceitável. Ao declarar que não se envergonha do evangelho, ele está proclamando que são essas boas-novas mesmo que nos comunicam não existir mais razão nenhuma para a vergonha.

Quando Adão e Eva pecaram no Éden, eles sentiram vergonha. Esconderam-se da presença e dos olhos de Deus, pois se envergonhavam da própria nudez. A vergonha é o primeiro sinal de nossa ruptura com Deus, o primeiro sentimento que adquirimos logo após o pecado. Percebemos que estávamos nus e nos envergonhamos diante uns dos outros e diante do próprio Deus.

O evangelho vem reverter essa situação. O evangelho nos diz: "Deus é justo, e esse Deus justo quer salvar você". Se esse Deus justo e santo quer me salvar, não existe mais nenhum motivo para eu me envergonhar diante dele. Ele não carrega mais sobre mim o olhar do julgamento que até então me constrangia. Agora, ele lança sobre mim um olhar de perdão e misericórdia. Uma vez que Deus me perdoa e me aceita, já não há razão para eu me envergonhar, pois a instância superior do universo, o Juiz de toda a existência, olha para mim e me recebe em seu reino. Não sou mais movido por olhares humanos. Agora devo caminhar em fidelidade ao Deus que me ama, que me salvou e me redimiu.

Para uma comunidade mista de judeus e gentios na Roma do primeiro século, essa palavra é muito poderosa. Era compreensível que os judeus, criados numa legislação bastante rígida, olhassem para os gentios e os considerassem depravados e indignos de comungar de sua comunidade. Os gentios, por sua vez, poderiam olhar para os judeus como demasiadamente apegados a tradições inadequadas e obsoletas para uma época de pensamentos tão ilustrados quanto a da cultura greco-romana. Mas Paulo fala de um poder, de uma justiça que quer salvar primeiro o judeu e depois o gentio; que quer encontrar, salvar e incluir na comunidade divina esses dois grupos como sendo parte de uma família só. A família de Deus.

Nessa nova comunidade, unidos a Deus, não nos julgamos mais uns aos outros com base naquilo que cada um considera ser o melhor. Em vez disso, juntos nos submetemos ao Deus que nos declara justos, porque era diante dele que havia uma vergonha fundamental, era por causa do rompimento com ele que nos sentíamos envergonhados. Agora, porém, unidos a ele nessa nova comunidade movida pelo Espírito, vivemos segundo sua justiça, pois como disse o apóstolo Paulo, retomando as palavras do profeta Habacuque: "O justo viverá pela fé" (Rm 1.17). É pela fé que nós recebemos esse perdão, é pela fé que cremos nessa boa notícia, é pela fé que trilhamos o caminho da justiça, sabendo que não temos mais do que nos envergonhar diante do Juiz do universo, e portanto também não precisamos andar com medo de julgamentos humanos, seja de judeus, seja de gentios. Andamos com coragem, proclamando por amor as boas-novas para uma nova comunidade, a fim de acrescentar cada vez mais gente a esse reino, que é o reino de Deus.

Não transformemos em orgulho a vergonha que sentíamos por sermos pecadores. O evangelho nos põe na posição de perdoados, uma posição que produz, em lugar de vergonha, gratidão. Essa gratidão é o que faz fluir de nós o amor de Deus na direção daqueles que necessitam do evangelho para a salvação. Uma vez que fomos salvos por essas boas-novas, nós proclamamos essas boas-novas a outras pessoas que também precisam ser salvas. Não nos envergonhamos, mas proclamamos, movidos pelo amor e não pelo orgulho, que Deus continua levando salvação a todos os que creem em nosso Senhor Jesus Cristo.

21
Liberdade para amar

Existe certa percepção de que a igreja de Corinto era a mais problemática dentre as comunidades que receberam cartas do apóstolo Paulo no Novo Testamento. De fato, tratava-se de uma igreja às voltas com partidarismos, ciúmes e imoralidade sexual. No entanto, uma leitura atenta das cartas paulinas revela que em nenhum outro de seus escritos o apóstolo usa termos tão fortes e incisivos como na carta que endereça às igrejas da Galácia.

Eis alguns exemplos. Em Gálatas 1.8, ele alerta: "Que seja amaldiçoado qualquer um, incluindo nós, ou mesmo um anjo do céu, que anunciar boas-novas diferentes das que nós lhes anunciamos". Em Gálatas 3.1, ele se exaspera: "Ó gálatas insensatos! Quem os enfeitiçou?". Em Gálatas 4.20, chega a justificar sua irritação: "Gostaria de poder estar aí com vocês para lhes falar em outro tom. Mas, distante como estou, não sei o que mais fazer para ajudá-los".

Outro sinal do profundo incômodo de Paulo com os gálatas reside na ausência de qualquer elogio àquelas congregações, uma prática recorrente do apóstolo em outras cartas, inclusive a respeito de igrejas que ele não conhecia pessoalmente. Em vez disso, Paulo se apresenta rapidamente como um apóstolo "nomeado não por um grupo de pessoas,

LIBERDADE PARA AMAR

nem por alguma autoridade humana, mas pelo próprio Jesus Cristo e por Deus" (Gl 1.1), para então começar uma dura repreensão contra os gálatas:

> Admiro-me que vocês estejam se afastando tão depressa daquele que os chamou para si por meio da graça de Cristo. Vocês estão seguindo um caminho diferente que se faz passar pelas boas-novas, mas que não são boas-novas de maneira nenhuma. Estão sendo perturbados por aqueles que distorcem deliberadamente as boas-novas de Cristo.
>
> Gálatas 1.6-7

Claramente havia acontecido algo grave para deixar o apóstolo tão incomodado. O que poderia ser?

A carta esclarece tratar-se de um ensino que corria as igrejas da região da Galácia, um tipo de ensino particularmente danoso, e é para combatê-lo que o apóstolo escreve sua epístola. Esse ensino provinha dos judaizantes, um grupo de cristãos que defendiam que os gentios convertidos a Jesus Cristo não deveriam apenas crer na obra de Jesus Cristo, mas também praticar as obras da lei. Isto é, deveriam se conformar ao modo de vida da religiosidade judaica. Daí o nome judaizantes: seu objetivo, em suma, era que os gentios cristãos se tornassem judeus, que carregassem as mesmas marcas da aliança da religião judaica. Dentre essas marcas, a mais importante e distintiva era a circuncisão. Os judaizantes requeriam, portanto, que todos os cristãos, judeus bem como gentios, se circuncidassem para que pudessem fazer parte do povo de Deus.

Por que Paulo considerava tal ensino tão perigoso assim? Qual o problema, afinal, de seguir os preceitos da lei, expostos no Antigo Testamento? Qual o problema de praticar

183

a circuncisão, comemorar alguns feriados e deixar de comer determinados alimentos que a lei de Moisés reputava como impuras? Não seria tudo isso uma busca legítima por santidade?

Hoje em dia, muitos entendem santidade como um conceito negativo, que visa basicamente restringir comportamentos carnais. Na visão de Paulo, porém, santidade implicava muito mais que o cumprimento de regras da lei. Santidade é Cristo vivendo por intermédio de seu povo. É a própria vida de Cristo na vida do cristão. Não diz respeito ao que deixamos de fazer, mas sim àquilo que Cristo faz através de nós.

Em Gálatas 2.20, o apóstolo deixa isso claro ao dizer: "Fui crucificado com Cristo; assim, já não sou eu quem vive, mas Cristo vive em mim. Portanto, vivo neste corpo terreno pela fé no Filho de Deus, que me amou e se entregou por mim". A santidade aqui é a vida do Cristo ressurreto na vida daquele que foi crucificado com Cristo. A velha natureza, que vivia segundo a própria vontade, foi crucificada com Cristo, e agora a vida que se manifesta em nós, a igreja, é a daquele que ressuscitou dos mortos.

Infelizmente, as práticas e cerimônias religiosas muitas vezes acabam por nos afastar desse real sentido da santidade. Quando acreditamos que a expectativa de Deus para nós é tão somente a celebração de ritos e rituais, abrimos espaço para a realização de obras que não vêm da vontade de Deus.

Alguns anos atrás, tomei conhecimento de uma pesquisa segundo a qual muitas crianças religiosas agiam de modo mais egoísta que as demais na escola. Não se dispunham a dividir os brinquedos, contavam mentiras, praticavam atos maldosos. A explicação dos pesquisadores era que essas crianças, por terem o hábito de orar e frequentar reuniões litúrgicas, se convenciam de ter certo "crédito" com Deus. Com isso, podiam usufruir desse crédito não sendo tão corretas ou boazinhas. A pesquisa indicava que essa diferença entre crianças religiosas e não religiosas desaparecia na adolescência e na fase adulta. Mas creio que esse fenômeno pode nos acompanhar por toda a vida. Convencidos de que fazemos parte de um grupo especialmente querido por Deus, uma vez que fazemos obras que, a nosso ver, justificam esse amor de Deus por nós, sentimo-nos mais à vontade para ser egoístas aqui e ali, para contar uma mentira de vez em quando, para ignorar a necessidade do outro bem à nossa frente. Pensamos que a religiosidade é capaz de nos justificar e de nos tornar parte do povo de Deus.

Para Paulo, no entanto, mais importante do que marcar a carne com a circuncisão é entregar a vida para que nela se faça a justiça de Deus. Mais importante do que deixar de comer alguma coisa é dar de comer para alguém que tem fome. Mais importante do que guardar o sábado é guardar a vida do próximo da morte que o espreita. Mais importante do que fazer sacrifícios para obter perdão é perdoar o próximo por confiar no sacrifício de Jesus na cruz. Assim age aquele que tem nova vida em Jesus. Uma vez que nossa velha natureza foi crucificada com Cristo, com o Cristo ressurreto vem também nossa nova natureza, a qual vivemos mediante o poder do Espírito Santo que habita em nós.

De fato, as consequências dessa realidade vão além da mera conversão individual. Uma vez que já não vivo minha vida, mas Jesus agora vive em mim, e uma vez que Jesus é a vida de todos os cristãos, então todos os cristãos de todos os lugares do mundo vivem a vida do mesmo Cristo ressurreto e nele estão unidos. Nossa vida agora é uma vida de unidade em Cristo. Já não somos distinguidos entre os que são judeus e os que são gentios, entre os circuncidados e os não circuncidados. Agora somos marcados pela fé em Jesus e reconhecemos que, por meio de nós, Jesus vive. Somos todos corpo de Cristo. Ou como diz o apóstolo em Gálatas 3.27-28: "Todos que foram unidos com Cristo no batismo se revestiram de Cristo" e, portanto, "não há mais judeu nem gentio, escravo nem livre, homem nem mulher, pois todos vocês são um em Cristo Jesus".

Por causa de Jesus, todos nós, de povos diferentes, de classes sociais diferentes, de gêneros diferentes, somos um em Cristo. Não podemos mais promover distinções entre nós, e não podemos excluir outros dessa família com base nessas diferenças. Judeu ou gentio, circuncidado ou não, todos somos um em Cristo. Por isso Paulo considerava tão perigoso o ensino da circuncisão, porque contrariava a ideia de um povo de Deus multiétnico, um povo que se espalha por todo o planeta. Por isso ele exorta os gálatas a confiar tão somente em Jesus, e não nos traços distintivos do povo judeu.

Em Gálatas 4, o apóstolo recorre a outra figura para abordar a questão da lei. A criança que é herdeira de uma propriedade não é superior aos escravos de seu pai, argumenta Paulo. Por ela ser muito pequena, desprovida de autonomia, o pai precisa designar para ela um escravo que faça o papel de tutor da criança. Esse escravo exerce autoridade sobre a criança, ainda que um dia essa criança venha a tomar posse de tudo o que pertence ao pai, inclusive dos próprios escravos que servem a seu pai. Por direito, ela é superior ao escravo. Mas, na prática, ela está sob a autoridade desse escravo, desse tutor.

Paulo conclui então que esse escravo é a lei. A lei conduzia o povo, assim como o escravo conduzia a criança. Agora,

LIBERDADE PARA AMAR

porém, que Jesus Cristo veio, a realidade da maturidade se manifesta na igreja. Agora a igreja está na idade adulta e não deve mais precisar de um escravo que a guie pela mão. Agora ela é herdeira de todas as coisas e não precisa mais se submeter à lei, pois vive um relacionamento direto com o Pai.

De igual modo, diz o apóstolo, os gálatas não devem voltar ao jugo da escravidão como se voltassem a ser crianças. Antes, devem abraçar a condição de maturidade espiritual que receberam em Jesus Cristo e não depender mais da lei. Devem viver plenamente a vida do Cristo, o Filho de Deus que é herdeiro de todas as coisas. Em outras palavras, Paulo está proclamando a independência do cristão em relação à lei. De fato, está proclamando a liberdade de toda e qualquer falsa religião: "Antes de conhecerem a Deus, vocês eram escravos de supostos deuses que, na verdade, nem existem. Agora que conhecem a Deus, ou melhor, agora que Deus os conhece, por que desejam voltar atrás e tornar-se novamente escravos dos frágeis e inúteis princípios básicos deste mundo" (Gl 4.8-9).

Na Galácia, não havia apenas judeus que viveram sob a lei de Moisés. Havia também gentios que eram pagãos antes de sua conversão à fé cristã. Assim como os judeus ofereciam sacrifícios a Deus, também os pagãos ofereciam sacrifícios a seus deuses. Assim como a lei de Deus prescrevia datas especiais, também as religiões pagãs celebravam seus próprios feriados. As manifestações religiosas eram muito parecidas, pois todas se baseavam naquilo que o apóstolo chama de "princípios básicos deste mundo". Aqueles que voltam às práticas do judaísmo estão voltando a algo do qual já haviam sido libertos. Mas também aqueles que nunca foram judeus e praticam tais coisas estão voltando a esses princípios básicos deste mundo, mesmo que nunca tenham sido judeus ou nunca tenham efetuado a circuncisão. Estão voltando a um tipo de vida que é análogo à religiosidade falsa que seguiam antes de sua conversão.

O que Paulo está dizendo aos gálatas é que eles estão livres não apenas da lei judaica, mas também da religião pagã. "Portanto", diz ele em Gálatas 5.1, "permaneçam firmes nessa liberdade, pois Cristo verdadeiramente nos libertou. Não se submetam novamente à escravidão da lei."

Quando tratamos do salmo 1, no capítulo 9 deste livro, refletimos sobre as imagens da árvore plantada junto ao ribeiro de águas e da palha soprada pelo vento. A árvore está presa ao solo, mas está livre do vento, pois este não consegue movê-la do lugar. Já a palha, por não ter raízes, embora pareça livre, está presa ao vento, indo para onde quer que o vento a leve. A diferença primordial, portanto, é o que nos prende: aquilo que nos garante vida e nos faz frutificar, ou aquilo que termina em desperdício e destruição.

Imagem semelhante aparece em Gálatas 5, quando Paulo nos diz que não estamos mais presos à lei. Alguém poderia concluir: "Se é assim, vou me entregar ao pecado e a toda forma de prazer, pois não existe lei que me imponha limites". Na visão de Paulo, isso equivaleria a estar preso ao vento, como a palha do salmo. Em Gálatas 5.13, ele escreve: "Porque vocês, irmãos, foram chamados para viver em liberdade. Não a usem, porém, para satisfazer sua natureza humana". Aquele que vive para satisfazer sua natureza humana está preso a sua própria carnalidade, é um escravo dos próprios desejos. E isso não acaba bem, como explicita Gálatas 5.19-21:

Quando seguem os desejos da natureza humana, os resultados são extremamente claros: imoralidade sexual, impureza, sensualidade, idolatria, feitiçaria, hostilidade, discórdias, ciúmes, acessos de raiva, ambições egoístas, dissensões, divisões, inveja, bebedeiras, festanças desregradas e outros pecados semelhantes. Repito o que disse antes: quem pratica essas coisas não herdará o reino de Deus.

Quem confia na carne, da carne colhe destruição. Circuncidar-se, conforme exigiam os judaizantes, é confiar numa obra da carne. E, na verdade, não há muita diferença em ser um judaizante, um pagão ou alguém que simplesmente se entrega à sua natureza humana. De todo modo, é confiar em si mesmo, e não em Jesus Cristo. É prender-se às coisas erradas.

Então como me prendo a Jesus? Pela fé, obviamente. Creio em Jesus, em sua obra que fez morrer minha velha natureza e que agora, por sua ressurreição, faz uma nova natureza viver. Mas como devo viver a partir disso? Se não é mais a lei que me conduz, se não são as religiões que me dizem o que fazer, se não é meu desejo pessoal o que orienta minha conduta, como então devo viver? A resposta se encontra em Gálatas 5.13: "Porque vocês, irmãos, foram chamados para viver em liberdade. Não a usem, porém, para satisfazer sua natureza humana. Ao contrário, usem-na para servir uns aos outros em amor".

É belíssimo o encadeamento da argumentação de Paulo aqui. Em Gálatas 4 ele nos lembra de que não somos escravos da lei, nem escravos de outros deuses. E em Gálatas 5 ele nos ordena "servir uns aos outros em amor". Em grego, o verbo servir tem o mesmo radical do termo *doulos*, "escravo", que ele usa tantas vezes em Gálatas 4. Basicamente, ele está dizendo: "Não sejam escravos da lei, não sejam escravos de falsos deuses, não sejam escravos também de sua natureza humana, carnal e pecadora. Pelo contrário, prendam-se uns aos outros por amor. Façam-se escravos uns dos outros por amor".

O que então orientará minhas atitudes? A nova vida de Cristo, que é a vida daquele que se entrega ao outro por amor. Essa é a regra e a lei máxima que conduz nossa vida. "Pois toda a lei", diz Paulo em Gálatas 5.14, "pode ser resumida neste único mandamento: 'Ame o seu próximo como a si mesmo'." Quando é que Jesus vive através de mim? Quando amo o próximo como a mim mesmo. Foi o que disse o próprio Senhor Jesus aos discípulos: "Agora eu lhes dou um novo mandamento: Amem uns aos outros" (Jo 13.34). É amando o próximo que cumprimos a lei.

Quando, no entanto, confiamos na circuncisão, nas obras da carne, encontramos motivos para não amar o próximo. Era o que acontecia com os judeus. Confiavam tanto nos distintivos étnicos da lei, como o sábado, o templo e a circuncisão, que justificavam com eles a hostilidade que sentiam pelos outros povos. Cumprir a lei em seus aspectos cerimoniais e litúrgicos pode constituir um belo motivo para não cumprirmos o mandamento de amarmos uns aos outros. Por isso Paulo tanto se indignou com os gálatas e os instruiu duramente a que se livrassem de um ensino que, em última análise, estorva o crescimento da vida de Cristo em nós. Só assim poderiam finalmente viver a plenitude do amor de Cristo mediante o amor ao próximo e cumprir a lei, com maturidade e liberdade.

22
Uma igreja exemplar

A igreja de Tessalônica surgiu do trabalho missionário do apóstolo Paulo, conforme relatado em Atos 17.1-8. Paulo e Silas chegaram àquela cidade e pregaram o evangelho a membros da sinagoga, discutindo as Escrituras durante três sábados seguidos. Algumas pessoas creram em seu testemunho acerca de Jesus, o Messias aguardado pelos judeus, ao passo que outras se voltaram contra Paulo e Silas e começaram a persegui-los, o que os obrigou a uma rápida fuga. Não houve tempo, portanto, de abordar os assuntos mais profundos do evangelho, ainda que houvessem deixado ali uma igreja minimamente organizada. Mas foi um trabalho interrompido pela perseguição.

Uma igreja recém-nascida e no meio de uma perseguição tão grande não teria muita "expectativa de vida". Ninguém esperaria que a igreja em Tessalônica fosse ter vida longa. Não muito tempo depois, porém, Paulo escreve uma epístola àqueles irmãos e irmãs, porque recebe boas notícias a respeito deles, notícias de que continuavam firmes no evangelho que lhes foi pregado. E não só estavam firmes como também já davam frutos desse evangelho.

É isso o que lemos no primeiro capítulo da primeira carta aos tessalonicenses. Vale a pena lê-lo na íntegra:

Nós, Paulo, Silas e Timóteo, escrevemos esta carta à igreja em Tessalônica, a vocês que estão em Deus, o Pai, e no Senhor Jesus Cristo.

Que Deus lhes dê graça e paz.

Sempre damos graças a Deus por todos vocês e os mencionamos constantemente em nossas orações. Quando oramos por vocês diante de nosso Deus e Pai, relembramos seu trabalho fiel, seus atos em amor e sua firme esperança em nosso Senhor Jesus Cristo.

Sabemos, irmãos, que Deus os ama e os escolheu. Pois, quando lhes apresentamos as boas-novas, não o fizemos apenas com palavras, mas também com poder, visto que o Espírito Santo lhes deu plena certeza de que era verdade o que lhes dizíamos. E vocês sabem como nos comportamos entre vocês e em seu favor. Assim, apesar do sofrimento que isso lhes trouxe, vocês receberam a mensagem com a alegria que vem do Espírito Santo e se tornaram imitadores nossos e do Senhor. Com isso, tornaram-se exemplo para todos os irmãos na Grécia, tanto na Macedônia como na Acaia.

Agora, partindo de vocês, a palavra do Senhor tem se espalhado por toda parte, até mesmo além da Macedônia e da Acaia, pois sua fé em Deus se tornou conhecida em todo lugar. Não precisamos sequer mencioná-la, pois as pessoas têm comentado sobre como vocês nos acolheram e como deixaram os ídolos a fim de servir ao Deus vivo e verdadeiro. Também comentam como vocês esperam do céu a vinda de Jesus, o Filho de Deus, a quem ele ressuscitou dos mortos e que nos livrará da ira que está para vir.

1 Tessalonicenses 1.1-10

É notável o entusiasmo com que Paulo se refere a essa igreja. Ele destina àqueles irmãos e irmãs na fé elogios contundentes. No capítulo anterior, observamos como o apóstolo se dirigiu com palavras duras aos gálatas. Aqui, porém, o tratamento é totalmente diferente. A igreja tessalonicense em pouco tempo acolheu a Palavra de Deus com tanta alegria que começou a dar muitos frutos. De fato, o testemunho dessa igreja chegou a lugares longínquos.

Em suma, tratava-se de uma igreja exemplar, que acolheu o evangelho e tornou-se tão fiel no cultivo desse evangelho que, segundo diz Paulo, a Palavra do Senhor se espalhou por toda parte a partir dela. Desse modo, o próprio apóstolo nem precisava falar aos outros acerca da fé que os tessalonicenses tinham, porque a notícia desse testemunho já havia se propagado. Pois essa é a verdadeira forma do discipulado cristão: é a partir de cristãos fiéis que outros cristãos fiéis vão sendo reproduzidos.

Essa mesma dinâmica esteve presente na evangelização da igreja em Tessalônica. Pouco antes de dizer que os tessalonicenses são exemplos para irmãos de outros lugares, Paulo escreve: "Apesar do sofrimento que isso lhes trouxe, vocês receberam a mensagem com a alegria que vem do Espírito Santo e se tornaram imitadores nossos e do Senhor". Eis como as coisas funcionam: Paulo era um imitador de Cristo, os tessalonicenses eram imitadores de Paulo, e agora os tessalonicenses são imitados por igrejas de outros lugares do mundo. É uma sequência de cópias, de imitações, de reproduções da fidelidade do evangelho em igrejas espalhadas pelo mundo afora. Foi assim que o evangelho cresceu, com pessoas buscando ser fiéis a Jesus Cristo através do testemunho que receberam de outras pessoas que buscavam ser fiéis a Jesus, todos envolvidos na busca pela semelhança com nosso Senhor. Isso é discipulado. É buscar imitar o mestre, e nosso Mestre é Jesus.

E o aspecto que levou os cristãos tessalonicenses a ser considerados uma igreja exemplar e imitadora de Paulo e de Jesus foi justamente o fato de que, "apesar do sofrimento que isso lhes trouxe", eles receberam a mensagem "com a alegria que vem do Espírito Santo". Afinal, foi isso o que aconteceu com o próprio Paulo, quando ele recebeu o evangelho no caminho para Damasco e teve um encontro com Jesus Cristo. Ali ele tomou uma decisão e começou a trilhar uma nova jornada que resultou em muita perseguição. Passou a ser perseguido tanto pelos judeus, dos quais antes se via como parte, como pelos cristãos judaizantes que se opunham a seu ministério para os gentios. Toda a trajetória de Paulo se dá em meio a profunda tribulação. A mesma coisa aconteceu com Jesus Cristo, que embora nunca tenha recebido o evangelho por ser ele próprio o evangelho, "por causa da alegria que o esperava" resistiu a toda a perseguição daqueles que a ele se opunham (Hb 12.2).

Essa alegria em face da tribulação é marca de um imitador de Jesus Cristo. Mas há um aspecto importante dessa questão a mencionar aqui: algumas formas de imitação de Jesus só podem ser exercidas na tribulação. A tribulação para o cristão não é sinal de que estamos sob a maldição de Deus. Na verdade, a tribulação é uma oportunidade de vivermos à semelhança de Cristo. Paulo dizia que as marcas da perseguição em seu corpo eram marcas de Cristo nele mesmo, e que padecer pelo Senhor era uma maneira de imitar Jesus. De igual modo, nós, cristãos, quando passamos pela tribulação com a alegria que vem do Espírito Santo, estamos imitando aquele que sofreu muito mais, por amor a nós e ao reino. É de se desacreditar, portanto, em pregações que insistem em que "o sofrimento nunca é da vontade de Deus". Grandes nomes da história da igreja imitaram Jesus em meio ao sofrimento.

UMA IGREJA EXEMPLAR

Quem dera Paulo escrevesse algo semelhante a respeito de nossas igrejas hoje. Quem dera ele nos dissesse: "Sua igreja é exemplo para todos os irmãos no Brasil e no mundo. A maneira como vocês acolhem o evangelho deveria ser seguida por todos. Na verdade, a maneira como vocês acolhem o evangelho é a mesma como eu recebi o evangelho e como o próprio Senhor Jesus Cristo viveu neste mundo". Imaginemos que maravilhoso seria receber esse carimbo de aprovação da pena do próprio apóstolo.

De quais outras características da igreja tessalonicense podemos extrair lições para os dias de hoje? Em 1 Tessalonicenses 1.3, o apóstolo diz: "Quando oramos por vocês diante de nosso Deus e Pai, relembramos seu trabalho fiel, seus atos em amor e sua firme esperança em nosso Senhor Jesus Cristo". Trabalho fiel, atos de amor e firme esperança. Fé, amor e esperança. Essa é a tríade das chamadas virtudes teologais, a tríade que o próprio apóstolo usa em 1 Coríntios 13.13, ao dizer: "Três coisas, na verdade, permanecerão: a fé, a esperança e o amor, e a maior delas é o amor". Na carta aos tessalonicenses, Paulo diz que essa igreja é cheia dessas virtudes. Ela é cheia de fé, mas não uma fé meramente doutrinária; é uma fé demonstrada pelas obras, pelo trabalho. É uma igreja de amor, mas não um amor de discursos e palavras bonitas; é uma igreja de atos de amor, de atitudes amorosas. E também é uma igreja de esperança, uma esperança em Jesus Cristo que ganha vida especialmente quando a tribulação não leva ao desespero.

Fé, amor e esperança. As virtudes que enchem essa igreja e fazem dela um exemplo. As virtudes que nós mesmos devemos buscar em nossas igrejas. Uma fé sadia no Deus revelado nas Escrituras, mas que não seja uma fé meramente cerebral, e sim uma fé de trabalho, que nos leve a agir pela fé. O termo grego *pistis* significa tanto fé como fidelidade, por isso a tradução fala de um trabalho fiel: é um trabalho de fé, mas é trabalho também de fidelidade, isto é, um trabalho fiel àquilo que Jesus Cristo nos revelou. E é uma igreja de atos de amor, não só dentro da própria congregação, mas também de amor por todo o mundo. É uma igreja marcada pelo amor.

Mas quero destacar aqui o aspecto da esperança. Se em 1Coríntios 13 Paulo deixa o amor para o final, por ser "a maior" das três virtudes, aqui em 1Tessalonicenses 1 ele deixa a esperança por último, talvez justamente como forma de ressaltá-la. Essa é uma tendência, aliás, de toda a carta: em praticamente todas as seções, o apóstolo faz algum tipo de menção à esperança final, à doutrina da vinda de Cristo. Por que ele faz isso? Porque essa é uma igreja que vem sofrendo perseguição, que vem enfrentando tribulação e que, portanto, precisa ter sua esperança renovada. Paulo deixa a esperança para o final da tríade das virtudes teologais porque está destacando o papel da esperança para essa igreja. Mais à frente ele dirá, por exemplo, que não precisava "lhes escrever sobre a importância do amor fraternal" (1Ts 4.9), pois já eram exemplos na prática do amor. Mas a esperança é um aspecto que ele constantemente reforça.

Uma vez que enfrentavam muitas dificuldades os tessalonicenses precisavam se lembrar da esperança cristã, a esperança em Jesus Cristo e em nada nem ninguém mais. Paulo diz que as pessoas comentavam "como vocês esperam do céu a vinda de Jesus, o Filho de Deus, a quem ele ressuscitou dos mortos e que nos livrará da ira que está para vir" (1Ts 1.10). Por que uma menção da ira quando o assunto é esperança? Porque eles estão sendo perseguidos e

UMA IGREJA EXEMPLAR

querem encontrar o alívio do Senhor, mas também querem encontrar justiça. Em 2 Tessalonicenses, escrevendo a essa mesma igreja, Paulo dirá que é justo esperar tribulação para aqueles que os atribulam, mas não é justo promover tribulação. Nosso papel é esperar que o Senhor aja com justiça. Também em Apocalipse 6.9-10, João relata sua visão dos mártires, os que morreram pelo evangelho, clamando justiça diante do trono Deus.

Por certo, há uma ira que virá colocar todas as coisas em seu lugar. Mas não sabemos exatamente como isso se dará, e não devemos agir com base nessa ira. Nossos atos devem ser de amor. É o Senhor que agirá por essa ira, e por causa dessa esperança de que o Senhor fará a justiça, e não nós, descansamos e enfrentamos as tribulações do dia a dia oferecendo a outra face. Cabe a nós viver em fé, amor e esperança, mesmo quando somos perseguidos.

Essas promessas do Senhor a um povo que sofre perseguição ou tribulação são recorrentes nas Escrituras. O livro de Daniel se destina aos exilados do povo de Deus, que recebem dele promessa de vitória e prosperidade. O próprio livro de Apocalipse é endereçado a igrejas que estavam sendo perseguidas. A esperança, afinal, é um combustível de nossa fidelidade e de nosso amor. É porque cremos na manifestação do Filho de Deus que abrimos mão de agir por nossa própria ira. É porque cremos nessa esperança, nessa restauração que o Filho de Deus trará em sua vinda, que buscamos desde já viver por esse reino. Precisamos da esperança real de Jesus para ser uma igreja exemplar no mundo. Precisamos da esperança real de Jesus para viver cheios de fé e de amor.

23
Graça educadora

Dentro do corpo de cartas do apóstolo Paulo escritas e compiladas no Novo Testamento, há um grupo de três epístolas que são conhecidas como pastorais: 1 e 2Timóteo e Tito. Enquanto as demais cartas se destinam a igrejas, as três epístolas pastorais são endereçadas a pastores. Cabe lembrar que há ainda uma epístola enviada a um cristão chamado Filemom, que não exercia o pastorado e, portanto, não se encaixa nesse grupo.

Nas cartas pastorais encontramos recomendações de Paulo sobre como esses líderes de igreja, Timóteo e Tito, deveriam conduzir seus ministérios e orientar suas congregações. São cartas de grande valor, com advertências e exortações que continuam válidas ainda hoje. Eu, particularmente, gosto de me debruçar sobre as cartas pastorais, porque nelas encontro palavras de um apóstolo preocupado com a condução da igreja, mesmo depois que ele se fosse deste mundo. Ou seja, ainda que Paulo não estivesse mais presente, a igreja e seus líderes teriam as instruções necessárias para dar continuidade fielmente ao ministério de Jesus Cristo.

Tito era um companheiro de longa data de Paulo, que o acompanhou em viagens missionárias e lhe escrevia relatórios acerca das igrejas. Na época em que Paulo redige sua carta, Tito se encontra em Creta, uma grande ilha no mar Mediterrâneo com várias cidades nas quais havia igrejas estabelecidas. Paulo havia deixado Tito ali para organizar as igrejas naquela região, que enfrentavam um problema sério: a vida em Creta era muito diferente daquela recomendada pelos ensinamentos de Jesus Cristo. É verdade que em todo lugar do mundo seria assim também, basta pensar nas dificuldades enfrentadas pelas igrejas em Roma ou em Corinto. Acontece que em Creta a igreja parecia ser especialmente ineficaz para mostrar uma maneira melhor de viver.

Paulo então aborda essa questão. Ele diz que de fato os cretenses têm um comportamento ruim, e para isso cita um escritor daquele povo: "Até mesmo um deles, um profeta nascido em Creta, disse: 'Os cretenses são mentirosos, animais cruéis e comilões preguiçosos'" (Tt 1.12). Na sequência, ele próprio confirma as palavras desse autor: "Isso é verdade" (Tt 1.13).

Se é verdadeira uma descrição dessa, o que esperaríamos das igrejas de Creta e de seus líderes? Talvez esperássemos que a igreja promovesse algum tipo de restrição a tais comportamentos maléficos. Quem sabe buscasse os poderes legislativos daquela sociedade a fim de impor limites em suas mentiras, em sua crueldade bestial e em sua comilança preguiçosa. Com regras mais rígidas, com punições para o mau comportamento, talvez os cristãos conseguissem "civilizar" os cretenses.

No entanto, com base em tudo o que já lemos do ministério e da teologia de Paulo, sabemos que ele ensina que não é pela força da lei que somos justificados ou santificados. Antes, ele nos lembra reiteradas vezes que é a realidade do evangelho da graça que transforma nossa mentalidade e nossa conduta. Daí a grande surpresa que surge na leitura dessa carta a Tito. Pois o apóstolo não volta suas críticas mais pesadas a esses comilões preguiçosos, cruéis e mentirosos de Creta, mas sim "àqueles que insistem na necessidade da circuncisão", àqueles "rebeldes que promovem conversas inúteis e enganam as pessoas" (Tt 1.10). Ou seja, o foco de suas preocupações não recai sobre os gentios pagãos de Creta, não obstante todo o seu comportamento imoral. Sua preocupação era principalmente com o grupo de judaizantes dentro das igrejas, aqueles que buscavam impor a circuncisão e a lei de Moisés sobre os cristãos gentios, mas que não combatiam em si mesmos a mentira, a crueldade, a gula, a preguiça.

Na visão de Paulo, conforme já expresso na carta aos gálatas, os que confiam na circuncisão e os que confiam na própria carne são, basicamente, o mesmo tipo de pessoa. Quem confia em suas obras religiosas acaba por negligenciar a vida do espírito, pois confia que, pelos próprios méritos e pelas próprias forças, consegue alcançar justiça. Com isso, produz as mesmas obras más daquele que vive pela carne, segundo os desejos de sua natureza humana. Por essa razão o apóstolo diz que os judaizantes caminham junto com os cretenses em sua conduta maléfica.

Tendo isso em mente, a afirmação do apóstolo em Tito 1.15-16 soa ainda mais impactante:

> Para os que são puros, tudo é puro. Mas, para os corruptos e descrentes, nada é puro, pois têm a mente e a consciência corrompidas. Afirmam que conhecem a Deus, mas o negam por seu modo de viver. São detestáveis e desobedientes, e não servem para fazer nada de bom.

Paulo está dizendo que são justamente os que buscam as minúcias da lei os que vivem de modo dissoluto. Aqueles que enxergam impureza em tudo e que são obcecados com a circuncisão são os que praticam atos maldosos que em nada os diferencia daqueles que nem mesmo creem em Jesus. A questão, portanto, não é ficar procurando o que é puro e o que é impuro, mas entender qual é a vida do espírito. Pois para os que são puros tudo é puro, mas nada é puro para os que têm a mente corrompida.

É impossível viver em pureza quando a própria mente se encontra corrompida. É impossível praticar boas obras e viver uma vida transformada, se a mente mesma não foi transformada. Esse já é um ensino clássico de Paulo. Em Romanos 12.2, ele escreve: "Não imitem o comportamento deste mundo, mas deixem que Deus os transforme por meio de uma mudança em seu modo de pensar, a fim de que experimentem a boa, agradável e perfeita vontade de Deus para vocês". E em Efésios 4.23-24: "Deixem que o Espírito renove seus pensamentos e atitudes e revistam-se de sua nova natureza, criada para ser verdadeiramente justa e santa como Deus". É a mudança de mente que muda o comportamento, e essa mudança de mente se baseia no entendimento de uma nova lógica, que é a lógica do evangelho.

O evangelho é completamente diferente do legalismo. O legalismo diz que, se eu agir de maneira correta, Deus me aceitará. O evangelho, em contrapartida, diz que Deus me aceita e por isso eu vivo de maneira transformada. É esse o ensino que Paulo instrui Tito a transmitir aos cretenses. Não à toa, já no primeiro versículo da carta, ele diz que foi "enviado para fortalecer a fé daqueles que Deus escolheu e para ensinar-lhes a verdade que mostra como viver uma vida de devoção".

Paulo afirma ter sido enviado para fortalecer a fé e ensinar a verdade que mostra uma vida de devoção. Só que essa verdade é precedida pela fé. A fé no evangelho, pela graça, precisa existir. É essa graça, esse entendimento do evangelho que transforma a maneira de viver do crente. Não é uma imposição moral que fará o não crente dissoluto agir conforme o Espírito da verdade. É a pregação de um evangelho para a conversão pela fé que levará o crente a corrigir seus passos, uma vez que se aproprie dessa verdade do evangelho.

Em Tito 2.11-13 isso fica bem claro:

> Pois a graça de Deus foi revelada e a todos traz salvação. Somos instruídos a abandonar o estilo de vida ímpio e os prazeres pecaminosos. Neste mundo perverso, devemos viver com sabedoria, justiça e devoção, enquanto aguardamos esperançosamente o dia em que será revelada a glória de nosso grande Deus e Salvador, Jesus Cristo.

A graça foi revelada a todos, e é a partir dela que somos instruídos e transformados em nosso comportamento. Não é por regras cada vez mais rígidas, por imposições cada vez mais duras, por uma moralização geral da sociedade que se transforma um comportamento. É pelo entendimento da lógica do evangelho, o entendimento da oferta graciosa que o Senhor Jesus Cristo nos faz. É uma pedagogia da graça. A graça nos ensina, nos instrui, e pela lógica da graça somos transformados. Não pela lógica da lei, não pela lógica do castigo, mas pela lógica do perdão de Deus a pecadores como nós.

Paulo exemplifica como isso funciona na prática em Tito 3.1-7:

> Lembre a todos que se sujeitem ao governo e às autoridades. Devem ser obedientes e sempre prontos a fazer o que é bom.

GRAÇA EDUCADORA

Não devem caluniar ninguém, mas evitar brigas. Que sejam amáveis e mostrem a todos verdadeira humildade. Em outros tempos, também éramos insensatos e desobedientes. Vivíamos no engano e nos tornamos escravos de muitas paixões e prazeres. Éramos cheios de maldade e inveja e odiávamos uns aos outros. Mas,

> Quando Deus, nosso Salvador, revelou sua bondade e seu amor, ele nos salvou não porque tivéssemos feito algo justo, mas por causa de sua misericórdia. Ele nos lavou para remover nossos pecados, nos fez nascer de novo e nos deu nova vida por meio do Espírito Santo. Generosamente, derramou o Espírito sobre nós por meio de Jesus Cristo, nosso Salvador. Por causa de sua graça, nos declarou justos e nos deu a esperança de que herdaremos a vida eterna.

Em outras palavras, Paulo está dizendo: "Façam tudo o que é bom e correto, não caluniem ninguém, procurem sempre evitar brigas, sejam amáveis, mostrem humildade. Por quê? Porque nós éramos todos detestáveis, insensatos e desobedientes diante de Deus. Vivíamos no engano, escravos das paixões. E mesmo assim, antes de fazermos qualquer coisa boa ou justa, Deus nos salvou graças a sua bondade e seu amor. Agora, nossa maneira de agir com os outros não é em resposta à maldade ou à desobediência deles. Agora, agimos com base no amor que Deus mostrou por nós".

É um contraste gritante com aquilo que ele diz a respeito dos judaizantes e dos crentes no começo da carta: "Afirmam que conhecem a Deus, mas o negam por seu modo de viver. São detestáveis e desobedientes, e não servem para fazer nada de bom" (Tt 1.16). Aqui, em Tito 3, ele diz que devemos agir com amor até para com os desobedientes e os que não fazem nada de bom. Devemos ser obedientes e sempre prontos a fazer o bem, até mesmo para essas pessoas.

E aqui, mais uma vez, começamos a entender muitos dos problemas que vêm afligindo nossa igreja nos dias de hoje. Talvez, se Paulo tivesse escrito uma carta a um pastor de nosso país, ele teria dito algo como: "Os brasileiros são mentirosos, animais cruéis e comilões preguiçosos". E sabemos que somos mesmo assim, não por sermos brasileiros, mas por sermos humanos. A humanidade é toda cheia de maldade, guerra, preguiça, glutonaria, mentira.

É um desejo legítimo de todo cristão ver em seu país uma transformação profunda, que resulte em um comportamento mais elevado e mais alinhado à vontade de Deus. Muitas vezes, porém, acabamos por escolher o caminho oposto àquele que Paulo sugere. Em vez de pregarmos primeiro a verdade para que, pela graça mediante a fé, as pessoas sejam transformadas em seu comportamento, agimos com o objetivo de moralizá-las, quer creiam, quer não em Jesus Cristo. Nosso alvo é que, antes mesmo de contarem com o auxílio da graça, elas façam o que é bom, sendo que a Bíblia nos diz que nada de bom podemos fazer separados da graça de Deus. Assim, em vez de nos preocuparmos tanto em moralizar a sociedade não cristã, deveríamos pregar o evangelho de Cristo para que as pessoas se tornem cristãs, e então trabalhar com elas no discipulado, fortalecendo sua fé e ensinando-lhes a verdade que mostra como viver uma vida de devoção. Esse é o caminho da graça que ensina, da graça educadora.

Não transformaremos o comportamento da igreja, e o comportamento da sociedade, apenas por meio de regras mais rígidas, determinando o que é puro e o que é impuro. Esse tipo de comportamento só mostra que estamos

GRAÇA EDUCADORA

corrompidos e não agimos sob a mentalidade do Espírito Santo. Pelo contrário, devemos agir com bondade, com humildade, com amor a todas as pessoas. Devemos demonstrar a forma da graça de viver, porque quando estávamos no lamaçal do pecado Deus não quis nos moralizar antes de nos salvar. Antes de qualquer coisa, ele nos trouxe uma boa notícia, e essa boa notícia vai tomando nosso coração e transformando nossa maneira de viver.

O apego às regras sem um coração amoroso leva ao legalismo. Essa busca de justificação pelas próprias obras afasta as pessoas do evangelho. Ou melhor, impede que o evangelho seja pregado, porque o evangelho não é lei: evangelho é o testemunho da graça para os que foram condenados pela lei. Que nos dediquemos, em vez disso, a ensinar o evangelho da graça, da justificação, do perdão, para que mais e mais pessoas conheçam a Jesus Cristo, e que possamos viver juntos como um só povo debaixo da mentalidade do Espírito Santo.

24
Um eixo que une

O salmo 110 não é um dos mais conhecidos por nós, cristãos brasileiros do século 21. Muitos trazem de cor na mente o salmo 23, ou ao menos o primeiro verso. O salmo 1 também é famoso, assim como o salmo 91, o salmo 98 e o salmo 150, entre outros tantos que já ganharam até versões musicais entoadas vibrantemente em nossas igrejas. Mas se perguntássemos aos autores do Novo Testamento com qual salmo eles estavam mais familiarizados, muito provavelmente a resposta seria o salmo 110. É, afinal, o texto do Antigo Testamento que recebe mais citações e alusões no Novo Testamento.

E por que o salmo 110 é tão importante para o enredo bíblico? Uma leitura de seus versos nos ajudará a responder:

O Senhor disse ao meu Senhor:
   "Sente-se no lugar de honra à minha direita,
até que eu humilhe seus inimigos
   e os ponha debaixo de seus pés".

O Senhor estenderá seu reino poderoso desde Sião;
   você governará seus inimigos.
Quando você for à guerra,
   seu povo o servirá de livre vontade.

UM EIXO QUE UNE

Você está envolto em vestes santas,
e sua força será renovada a cada dia, como o orvalho da
manhã.

O Senhor jurou e não voltará atrás:
"Você é sacerdote para sempre,
segundo a ordem de Melquisedeque".

O Senhor está à sua direita para protegê-lo;
esmagará muitos reis no dia de sua ira.
Castigarás as nações e encherá suas terras de cadáveres;
esmagará cabeças por todo o mundo.
Ele próprio, contudo, se refrescará em riachos ao longo do
caminho;
ele será vitorioso.

Salmos 110.1-7

Trata-se de um salmo real, ou régio. O salmista está falando a respeito de um rei. E que rei é esse? Tradicionalmente, esse é um salmo atribuído a Davi, devido à expressão hebraica que o antecede, *ledavid*. A tradução habitual do termo é "de Davi", mas também pode significar "para Davi". Isso suscita certo debate: os salmos davídicos são davídicos porque são de autoria de Davi ou são davídicos porque foram escritos para Davi, ou no estilo de Davi?

Por mais interessante que seja esse debate, que envolve questões linguísticas e o estudo de outras línguas semitas do mundo antigo, de modo geral ele não impacta nossa interpretação dos salmos davídicos. A exceção óbvia é o salmo 110. Para nós, cristãos, a definição da autoria do salmo 110 está associada a nosso entendimento da teologia do Messias ao longo das Escrituras. Analisemos, portanto, quais são as implicações disso.

Os que defendem que o salmo 110 não foi escrito por Davi, mas para Davi, baseiam-se numa leitura do salmo em que o "meu Senhor" do versículo 1 é o próprio Davi. Expliquemos melhor: o primeiro "Senhor" desse texto é o nome de Deus, YHWH. Já o segundo "Senhor" não traduz o nome hebraico de Deus, mas sim a palavra *Adonai*, um termo genérico para "senhor". Em tradução literal: "Disse YHWH ao meu Senhor". Se esse fosse um salmo escrito *para Davi*, esse "meu Senhor" seria o próprio Davi. YHWH disse algo ao rei Davi, e o texto revela o que foi dito: "Sente-se no lugar de honra à minha direita, até que eu humilhe seus inimigos e os ponha debaixo de seus pés". Seria esse, então, um salmo real de louvor às qualidades do rei, no qual Deus mesmo se coloca na posição de abençoar o reino de Davi.

Acontece que essa leitura se vê diante de um impasse um pouco mais à frente. O salmista começa a descrever um rei muito mais poderoso do que Davi sequer imaginou ser algum dia. Um rei que destruiria todos os seus inimigos e que castigaria as nações, enchendo suas terras de cadáveres, esmagando cabeças por todo o mundo; um rei cujo reino se estenderia desde Sião por toda a terra. Além disso, o verso 4 indica um rei que não é só rei, mas também sacerdote: "O Senhor jurou e não voltará atrás: 'Você é sacerdote para sempre, segundo a ordem de Melquisedeque'". Ora, Davi não podia ser um sacerdote para sempre, porque ele não viveria para sempre. Esse texto está falando de um sacerdote eterno, algo que Davi não poderia ser, justamente por cumprir a função de rei. Trata-se, claramente, de outra figura, uma figura ainda maior que Davi.

Agora, tentemos ler o texto da maneira tradicional, em que *ledavid* significa "de Davi", de autoria de Davi, e não "para

Davi". Nessa leitura, quando o salmista escreve que "YHWH disse ao meu Senhor", esse "meu Senhor" de Davi não é ele mesmo, mas é um Senhor acima dele. Esse Senhor acima dele é o que se assenta no lugar de honra à direita, que humilhará seus inimigos e os porá debaixo de seus pés. É esse Senhor de Davi que vai à guerra e vence, e cujo reino se estende desde Sião por toda a terra. E esse Senhor de Davi, além de rei, também é sacerdote, e sacerdote para sempre. E não sacerdote da ordem de Arão, mas da ordem de Melquisedeque.

Não cabe aqui ignorar questões linguísticas importantes, como o fato de que o prefixo hebraico *le* realmente tem mais sentido de direção do que de posse, o que de modo geral recomendaria a tradução "para" em vez de "de". Ainda assim, devemos reconhecer que a interpretação de que os salmos davídicos provêm da pena de Davi é muito mais antiga que o próprio cristianismo. Teólogos judeus já interpretavam que esses salmos foram escritos pelo rei Davi. Além disso, um teólogo cristão contemporâneo, D. A. Carson, argumenta que há evidências, em outras línguas semíticas daquele período, do uso desse prefixo com o sentido de posse ou de autoria. De modo que concluímos que os salmos davídicos são, muito provavelmente, da autoria do próprio Davi. E, na verdade, para corroborar essa leitura, temos a companhia de um grande teólogo que também interpretou esse salmo como sendo de Davi. Esse grande teólogo, o maior que já existiu, é ninguém mais, ninguém menos que o próprio Senhor Jesus Cristo. Assim narra Mateus 22.41-46, o encontro de Jesus com um grupo de fariseus:

> Então, rodeado pelos fariseus, Jesus lhes fez a seguinte pergunta: "O que vocês pensam do Cristo? De quem ele é filho?".

Eles responderam: "É filho de Davi".

Jesus perguntou: "Então por que Davi, falando por meio do Espírito, chama o Cristo de 'meu Senhor'? Pois Davi disse:

'O Senhor disse ao meu Senhor:
    Sente-se no lugar de honra à minha direita
até que eu humilhe seus inimigos
    debaixo de seus pés'.

Portanto, se Davi chamou o Cristo de 'meu Senhor', como ele pode ser filho de Davi?".

Ninguém conseguiu responder e, depois disso, não se atreveram a lhe fazer mais perguntas.

Mateus 22.41-46

Para nosso Senhor Jesus Cristo, portanto, Davi era o autor do salmo 110. Alguém poderia argumentar que Jesus não estava preocupado com debates sobre a autoria dos livros bíblicos e mencionou Davi porque na época o senso comum pensava que fosse Davi o autor. Seria o equivalente a citar um trecho da Ilíada e da Odisseia e atribuí-lo a Homero, muito embora os estudiosos hoje concordem que dificilmente um homem chamado Homero tenha escrito esses épicos da literatura grega. Mas, no caso desse texto específico, o argumento de Jesus não faz sentido se não foi o próprio rei Davi que escreveu esse salmo. Afinal, Jesus está dizendo que Davi mesmo reconhece o Messias como sendo seu Senhor, e não meramente um herdeiro dele, e que portanto a autoridade de Davi vinha do Messias, e não o contrário.

Outro aspecto importante dessa passagem de Mateus é que ela nos mostra que Jesus e também os fariseus da época

UM EIXO QUE UNE

acreditavam que o salmo 110 era um salmo de Davi sobre o Messias. Nesse sentido, podemos classificá-lo como um salmo real, mas também como um salmo messiânico, que aponta para o Ungido que viria, o Cristo prometido. Com esse sentido Paulo alude ao salmo em Efésios 1.19-20, na oração que faz pela igreja: "Também oro para que entendam a grandeza insuperável do poder de Deus para conosco, os que cremos. É o mesmo poder grandioso que ressuscitou Cristo dos mortos e o fez sentar-se no lugar de honra, à direita de Deus, nos domínios celestiais". Trata-se de uma alusão ao salmo 110. Ou seja, estamos na companhia não só dos sábios judeus do primeiro século, mas também do apóstolo Paulo e do próprio Senhor Jesus Cristo, ao interpretar que o salmo 110 é de autoria davídica e diz respeito ao Messias, Jesus Cristo.

Por fim, além de ser reiteradamente mencionado no Novo Testamento, o salmo 110 também interpreta o Antigo Testamento, mais especificamente o livro de Gênesis. Nesse aspecto, o salmo funciona como um eixo que une as duas partes da Bíblia, porque ao mesmo tempo que aponta para o Messias no Novo Testamento, ele busca as raízes do sacerdote messiânico no encontro de Abraão com o sacerdote Melquisedeque, conforme expressa o versículo 4: "O Senhor jurou e não voltará atrás: 'Você é sacerdote para sempre, segundo a ordem de Melquisedeque'".

Melquisedeque é uma figura citada em Gênesis 14, capítulo que narra a história da vitória de Abraão e seus aliados contra o rei Quedorlaomer e seus aliados. O texto bíblico assim diz:

> Melquisedeque, rei de Salém e sacerdote do Deus Altíssimo, trouxe pão e vinho e abençoou Abrão, dizendo: "Bendito seja

Abrão pelo Deus Altíssimo, Criador dos céus e da terra. E bendito seja o Deus Altíssimo, que derrotou seus inimigos por você". Então Abrão entregou a Melquisedeque um décimo de todos os bens que havia recuperado.

Gênesis 14.18-20

Esse é um texto emblemático. Salém é uma referência àquela que viria a se tornar a cidade de Jerusalém, talvez a Jerusalém dos jebuseus, o povo que habitou ali antes de Davi. E Melquisedeque era não só rei dessa cidade, mas também sacerdote do Deus Altíssimo. Acontece que ele não era parte da família de Abraão, não tinha relações com a aliança que Deus havia estabelecido com Abraão e seus descendentes em Gênesis 12.1-5. Também não integrava a linhagem sacerdotal que só seria desenvolvida séculos adiante, quando Moisés recebesse de Deus os mandamentos e Deus decretasse que os sacerdotes viriam da linhagem de Arão, irmão de Moisés. Então o que seria esse sacerdote do Deus Altíssimo?

Finalmente chegamos ao livro bíblico de Hebreus, no Novo Testamento, uma carta sem autor definido destinada a judeus seguidores de Jesus Cristo. Em Hebreus 7, somos lembrados de que esse Melquisedeque aparece no texto bíblico sem nenhuma referência a sua genealogia e sem ligação com a tribo de Levi, antecedendo até mesmo a lei de Moisés. E esse Melquisedeque abençoa Abraão, demonstrando ser maior que Abraão. Além disso, seu nome deriva de duas palavras hebraicas, *malki* e *tzedeq*, que juntas significariam "rei de justiça", e também é chamado de rei de Salém, palavra composta pelas mesmas consoantes de *shalom*, que significa "paz". Então, Melquisedeque é rei de justiça, mas é também rei de paz.

UM EIXO QUE UNE

O argumento que o autor de Hebreus levanta é que há uma ordem superior de sacerdócio, porque é anterior à ordem de Arão, e na verdade é uma ordem superior à do próprio Abraão, pai de toda a nação dos hebreus. Essa ordem de Melquisedeque aponta, então, para um sacerdote superior a todos os outros sacerdotes, e o nome dele é Jesus Cristo, que ao mesmo tempo é rei de justiça, rei de paz, sacerdote perfeito e sacrifício perfeito. Jesus Cristo reúne ao redor de si todas essas características, e nele encontramos o reino de Deus, aquele reino prometido a Davi, e no entanto maior do que Davi, porque Davi o chamou de "meu Senhor". Nele encontramos a adoção para sermos família de Deus, a família que Deus escolheu em Abraão, e contudo maior do que essa, porque ele mesmo abençoou Abraão e é maior do que ele. Encontramos em Jesus o sacerdote maior do que todos, porque ele antecede o próprio Arão e o próprio Levi, e recebe dízimo do próprio pai da nação, Abraão. Abraão nunca deu dízimo a Arão, porque quando Arão nasceu Abraão já tinha morrido. Ele deu dízimo a Melquisedeque, e se Jesus Cristo é sacerdote segundo a ordem de Melquisedeque, significa que nele nós temos um sacerdote perfeito. Pois:

> É de um Sumo Sacerdote como ele que necessitamos, pois é santo, irrepreensível, sem nenhuma mancha de pecado, separado dos pecadores e colocado no lugar de mais alta honra no céu. Ele não precisa oferecer sacrifícios diariamente, ao contrário dos outros sumos sacerdotes, que os ofereciam primeiro por seus próprios pecados e depois pelos pecados do povo. Ele, porém, o fez de uma vez por todas quando ofereceu a si mesmo como sacrifício. A lei nomeava sacerdotes limitados pela fraqueza humana. Mas, depois da lei, Deus nomeou com

juramento seu Filho, que se tornou o Sumo Sacerdote perfeito para sempre.

Hebreus 7.26-28

Essa argumentação faz todo o sentido dentro do contexto geral do livro de Hebreus. A carta foi escrita para uma geração de cristãos já distante do tempo de Jesus, cristãos hebreus que procuravam voltar às práticas antigas do judaísmo. O autor do livro, em consonância com o que vem sendo expresso em todas cartas do Novo Testamento, diz em essência: "Não voltem às práticas antigas como se elas fossem lhes trazer justificação, porque tais práticas são menores que o Cristo que lhes foi confiado. Jesus Cristo é a conclusão de todas essas coisas. Ele tem supremacia sobre os anjos, sobre os profetas, sobre o templo, sobre o sábado, sobre Moisés, sobre a lei, sobre os sacerdotes, sobre todos os justos e os santos do Antigo Testamento. Jesus Cristo é o maior de todos, e só nele nós nos reconciliamos com o Pai".

Muito me alegra meditar no salmo 110, esse maravilhoso eixo que une toda a narrativa bíblica, de Gênesis até o Novo Testamento, e nos mostra que Jesus Cristo é Rei para sempre, sacerdote para sempre e nosso Senhor.

25
Revelação

Muitos leitores contemporâneos encaram Apocalipse, o último livro da Bíblia, como uma obra repleta de mistério. E, em certa medida, há razão para isso. A linguagem usada nesse livro é mesmo bastante simbólica, e decifrá-la nunca é exercício fácil. Além disso, é comum que as pessoas associem ao termo "apocalipse" imagens sombrias e assustadoras, relacionadas a tragédias, guerras e catástrofes em nível mundial. Quando nos referimos, por exemplo, a uma obra de ficção como pós-apocalíptica, estamos falando de uma obra que retrata um período posterior a uma grande tragédia mundial, uma cataclisma. A palavra apocalipse, portanto, parece indicar algo terrível que acomete o mundo todo, trazendo pânico e terror e deixando o mundo em cacos.

Biblicamente, porém, não é isso que apocalipse significa. O termo grego *apokálypsis* significa simplesmente "revelação". É por isso, aliás, que em inglês o livro de Apocalipse recebe o nome de *Revelation*. Pois é isso o que Apocalipse é: um livro de revelação. A revelação de coisas que estavam ocultas, coisas que ocorrerão no futuro, que ocorriam no presente ou até que já haviam ocorrido no passado, mas que seriam reveladas para os cristãos naquele momento.

O autor do livro é o apóstolo João, que o escreveu quando estava exilado na ilha de Patmos, condenado por pregar o evangelho de Jesus Cristo. Assim diz ele em Apocalipse 1.9: "Eu, João, irmão e companheiro de vocês no sofrimento, no reino e na perseverança para a qual Jesus nos chama, estava exilado na ilha de Patmos por pregar a palavra de Deus e testemunhar a respeito de Jesus". Trata-se, portanto, de um livro endereçado a cristãos que, a exemplo do apóstolo, também estão passando por tribulação. Não é um livro escrito para assustar ou atemorizar os crentes. Pelo contrário, é um livro que visa dar esperança a cristãos atribulados.

E o que exatamente revela esse livro de revelação? Embora haja aqui espaço para os teólogos discutirem quanto Apocalipse revela acerca de eventos que se darão no futuro ou acerca de questões celestiais, o centro dessa revelação se encontra logo no início do livro, em suas primeiras palavras: "Revelação de Jesus Cristo, que Deus lhe deu para mostrar a seus servos os acontecimentos que ocorrerão em breve" (Ap 1.1).

Essa revelação de Jesus Cristo é, ao mesmo tempo, a revelação de uma mensagem que Cristo traz e a revelação do próprio Jesus Cristo. Sim, pois o livro de Apocalipse revela Jesus Cristo reinando depois de sua ascensão e em seu retorno para a implementação plena de seu reino. Ele aparece como uma figura reinante, e também como o Senhor da igreja. A revelação de Jesus Cristo é o grande tema do primeiro capítulo de Apocalipse, que inclui uma fascinante descrição da imagem de Jesus vista por João. Assim, uma primeira conclusão a respeito do livro é que mais importante do que descobrir exatamente o que acontecerá ou não no futuro, ou que já aconteceu ou está acontecendo, é encontrar em Apocalipse o próprio Jesus Cristo, que se revela a nós. Eis como João descreve essa sua visão de Jesus:

REVELAÇÃO

Quando me voltei para ver quem falava comigo, vi sete candelabros de ouro e, em pé entre eles, havia alguém semelhante ao Filho do Homem. Vestia um manto comprido, com uma faixa de ouro sobre o peito. A cabeça e os cabelos eram brancos como a lã e a neve, e os olhos, como chamas de fogo. Os pés eram como bronze polido, refinado numa fornalha, e a voz ressoava como fortes ondas do mar. Na mão direita tinha sete estrelas, e de sua boca saía uma espada afiada dos dois lados. A face brilhava como o sol em todo o seu esplendor.

Apocalipse 1.12-16

Essa figura gloriosa revelada em Apocalipse remonta a outras duas obras do apóstolo João, seu evangelho e sua primeira carta. Em João 1.14, ele escreve: "[Jesus] era cheio de graça e verdade. E vimos sua glória, a glória do Filho único do Pai". E em 1João 1.1: "Proclamamos a vocês aquele que existia desde o princípio, aquele que ouvimos e vimos com nossos próprios olhos e tocamos com nossas próprias mãos. Ele é a Palavra da Vida". Aqui em Apocalipse, porém, ele não apenas diz que viu, mas ele também descreve essa visão a seus leitores. E quem são esses leitores, afinal?

A resposta se encontra em Apocalipse 1.11: "E a voz dizia: 'Escreva num livro tudo que você vê e envie-o às sete igrejas nas cidades de Éfeso, Esmirna, Pérgamo, Tiatira, Sardes, Filadélfia e Laodiceia'". São essas sete igrejas da província da Ásia, uma província romana situada na região que hoje corresponde ao oeste da Turquia, os destinatários originais não só das cartas que virão na sequência, nos capítulos 2—3, mas também de todo o livro.

De fato, não existem versões do livro de Apocalipse que contenham apenas uma das sete cartas. Todas as cópias que chegaram até nós contêm as sete cartas. Isso nos leva a concluir que as recomendações dadas a cada uma das sete igrejas não são recomendações apenas para aquelas igrejas, mas sim para todas as igrejas em todos os lugares, em todos os tempos. Por isso, podemos aprender muito com a leitura de Apocalipse e aplicar o que aprendemos a nossos contextos atuais.

Mas o aspecto mais importante a se destacar disso tudo é o fato de que Apocalipse não foi escrito para indivíduos, e sim para igrejas. Muitas vezes, abordamos esse livro com preocupações meramente individuais, como a curiosidade de saber qual é o número da besta ou como devo me preparar para os eventos aqui narrados. Na verdade, Apocalipse nos convida a viver a vida e os eventos futuros em comunidade, em igreja. Seu objetivo é orientar e corrigir igrejas que passavam por lutas e, nessas lutas, cometiam alguns desvios de conduta. Assim, o livro dá ânimo para igrejas desanimadas, apela ao amor para igrejas endurecidas, insiste na perseverança para igrejas em dificuldade e oferece consolação para igrejas tomadas pela tristeza. É um livro voltado para igrejas, e não para indivíduos. Ler Apocalipse separado de uma comunidade, fora de uma visão comunitária da fé cristã, é perder um aspecto fundamental desse livro.

Nessa introdução de Apocalipse, dois aspectos da igreja se fazem evidentes: a face da igreja local e a face da igreja universal. João escreve Apocalipse e direciona o livro a igrejas locais, que têm nome, endereço, pastor, membresia, igrejas que enfrentam problemas concretos em sua realidade local. E, a essas igrejas locais, o Senhor Jesus Cristo se revela.

A descrição da imagem de Jesus que aparece em Apocalipse 1 reaparece em Apocalipse 2—3, quando do envio das cartas às sete igrejas. Cada um dos aspectos da imagem de Jesus descritos por João é mencionado em cada carta. Por

REVELAÇÃO

exemplo, na carta enviada à primeira igreja, a de Éfeso, é dito: "Esta é a mensagem daquele que segura na mão direita as sete estrelas, daquele que anda entre os sete candelabros de ouro" (Ap 2.1). E foi exatamente assim que João começou sua descrição de Jesus em Apocalipse 1.12-13: "Quando me voltei para ver quem falava comigo, vi sete candelabros de ouro e, em pé entre eles, havia alguém semelhante ao Filho do Homem". O mesmo se dá com a carta à igreja de Esmirna: "Esta é a mensagem daquele que é o Primeiro e o Último, que esteve morto mas agora vive" (Ap 2.8), que retoma as palavras de Jesus a João em Apocalipse 1.18: "Sou aquele que vive. Estive morto, mas agora vivo para todo o sempre!". E assim se repete com cada uma das sete cartas.

Aprendemos com isso que, na comunhão da igreja local, podemos nos encontrar com Jesus Cristo. Esse não é um tema novo para o apóstolo João. Já em 1João 4.12 ele escreveu: "Ninguém jamais viu a Deus. Mas, se amamos uns aos outros, Deus permanece em nós, e seu amor chega, em nós, à expressão plena". Mais uma vez se destacam a ideia da visão de Deus e a ideia de que é na comunhão da igreja que Deus é visto, que o Cristo é revelado. De igual modo, em João 14.12 são registradas estas palavras de Jesus: "Aqueles que aceitam meus mandamentos e lhes obedecem são os que me amam. E, porque me amam, serão amados por meu Pai. E eu também os amarei e me revelarei [ou trarei o apocalipse] a cada um deles". E o mandamento de que Jesus fala no Evangelho de João, como já vimos, é que nós amemos uns aos outros. É nessa relação de amor da comunidade local, portanto, que vemos Jesus Cristo revelado.

Mas existe também a igreja universal dos santos de Jesus, dos remidos e perdoados espalhados por toda a terra. Cada pedaço da descrição de Jesus em Apocalipse 1 é reapresentado separadamente em Apocalipse 2—3, mas a imagem completa só se dá com todas as igrejas juntas. Jesus Cristo se revela ao mundo nas igrejas locais, mas nenhuma igreja sozinha é capaz de revelar Jesus Cristo completamente. Ele é revelado em todas as igrejas em comunhão, que formam seu corpo sobre a terra.

Minha igreja local tem muitas virtudes, e sou grato a Deus por elas. Mas ela também tem suas faltas. Nela há ministérios que não funcionam tão bem quanto em outros lugares, há dons que não se manifestam com a mesma riqueza que em outras comunidades. Essa plenitude só se manifesta na união de todas as igrejas, que assim manifestam quem Jesus Cristo é. Por isso o sectarismo é tão contrário à ação do Espírito. Pensarmos com soberba sobre nossa igreja local, dividindo-nos acintosamente de nossos irmãos em Cristo em outros contextos e desconsiderando a diversidade das manifestações de Jesus Cristo em cada realidade local, é cegarmo-nos para a visão do próprio Deus no mundo hoje. Precisamos desenvolver um compromisso pessoal com a realidade local do corpo de Cristo em cada igreja, mas também precisamos desenvolver solidariedade e fraternidade com as igrejas em todos os povos e em todos os lugares do mundo.

Fica evidente, assim, que Apocalipse não é um livro que visa nos pôr medo. Antes, visa nos encher de compromisso com Jesus Cristo e com nossos irmãos e irmãs da igreja do Senhor. É um livro que nos lembra de que não estamos sozinhos, mas acompanhados de nosso Senhor Jesus e de todas as igrejas espalhadas pelo mundo que compõem sua igreja universal.

Mas é também um livro de esperança. É verdade que as passagens escatológicas do Novo Testamento como um todo

REVELAÇÃO

descrevem cenários sombrios. O próprio Jesus Cristo diz que guerras e catástrofes seriam apenas "o começo das dores" (Mt 24.7). E sobretudo aqui em Apocalipse há trechos de profunda tensão. Em toda parte, porém, subjaz uma realidade de esperança. A menção dos eventos difíceis que vêm pela frente não tem por objetivo nos atemorizar. O intuito, na verdade, é que ao enfrentar tribulações nós estejamos cientes de que elas serão vencidas. Não há perseguição, maldade, crueldade contra a igreja do Senhor que durará para sempre. No final, o amor de Deus prevalecerá. Como disse o apóstolo Paulo aos tessalonicenses: "Porque Deus decidiu nos salvar por meio de nosso Senhor Jesus Cristo, em vez de derramar sua ira sobre nós" (1Ts 5.9). Não é a ira que nos aguarda, mas sim o grande amor de Deus.

A respeito desse amor, há um detalhe em Apocalipse que guarda paralelos com o livro de Daniel, no Antigo Testamento. Em Apocalipse 1.5, João diz: "Toda a glória seja àquele que nos ama e nos libertou de nossos pecados por meio de seu sangue". João nos lembra que o Jesus que se revela a nós é aquele que nos ama e que morreu por nós, ainda que seja ele quem nos trará também notícias inquietantes. De igual modo, em Daniel 10.19, quando o anjo se aproxima de um abatido Daniel para lhe trazer mensagens sobre o fim do mundo, ele diz: "Não tenha medo [...], pois você é muito precioso para Deus. Que a paz esteja com você! Tenha ânimo! Seja forte!". E a reação de Daniel é assim descrita: "Enquanto ele falava, logo me senti mais forte e disse: 'Fale, meu senhor, pois me fortaleceu'".

Ou seja, tanto o Apocalipse de João quanto o pequeno apocalipse de Daniel são antecedidos por uma afirmação do amor de Deus. Toda vez que lermos Apocalipse, portanto, não sejamos tomados de medo, mas sim da confiança no Deus que nos ama. E mais: no Deus que vence. Sim, porque a mensagem do livro pode por vezes nos soar como uma má notícia, tão confortáveis e adaptados que estamos neste mundo em que vivemos; mas para igrejas sofredoras e perseguidas como aquelas a quem João endereçou seu livro, as palavras de Apocalipse soavam maravilhosas: "No final, Deus trará justiça, e a vitória já está garantida em Jesus Cristo".

Às vezes nos preocupamos demasiadamente com os trechos bíblicos sobre a tribulação, ao passo que perdemos a alegria dos capítulos finais do livro, quando João nos fala da vitória de Jesus e da Nova Jerusalém que desce do céu, a cidade celestial onde não haverá choro, nem doença, nem sofrimento, nem morte, mas apenas a glória do Senhor, que enche todo o universo. Isso é maravilhoso, e essa é a verdade na qual devemos nos firmar. O Deus que nos ama vencerá, e por isso já vivemos em igreja, em comunidade, como quem já habita na Jerusalém celestial. Consolação maior em tempos de tribulação não há.

Sobre o autor

Carlos "Cacau" Marques é pastor na Igreja Batista Vida Nova, em Nova Odessa (SP). Formou-se em História pela Universidade Estadual de Campinas e em Teologia pela Faculdade Teológica Batista de Campinas (SP), onde hoje atua como docente. É casado com Natália.

Compartilhe suas impressões de leitura,
mencionando o título da obra, pelo e-mail
opiniao-do-leitor@mundocristao.com.br
ou por nossas redes sociais

Esta obra foi composta com tipografia Janson Text e Kandal
e impressa em papel Pólen Natural 70 g/m² na gráfica Assahi